Reisen durch Mecklenburg und Vorpommern

Reisen durch Mecklenburg und Vorpommern

Impressum

Herausgegeben in Zusammenarbeit mit dem Hamburger Abendblatt
Redaktion und Bildlegenden:
Alwin Bellmann, Hamburg
Redaktionelle Mitarbeit:
Axel Birr, Erika Güttler

Autoren:
Alwin Bellmann, Thomas Borchert, Ulrike Dotzer, Gustaf Adolf Henning, Egbert A. Hoffmann, Paul Th. Hoffmann, Nicola von Hollander, Irene Jung, Sabine Schubert, Horst Schüler, Michael Schweer, Stephan Wallocha, Gertje Witte
Karten:
Gabriele Clasen, Wolfgang Kurtz, Rainer Michaelis, Henning Riediger
Gestaltung:
Hartmut Brückner, Bremen
Satz:
Atelier Schümann, Hamburg
Lithographie:
Rüdiger & Doepner, Bremen
Gesamtherstellung:
Paderborner Druck Centrum, Paderborn

Redaktionelle Angaben: Stand März 1991. Ohne Gewähr.

Wir danken dem ADAC für die freundliche Unterstützung bei der Erstellung der Entfernungstabellen.

CIP-Titelaufnahme der Deutschen Bibliothek
Reisen durch Mecklenburg und Vorpommern
hrsg. in Zusammenarbeit mit dem Hamburger Abendblatt, Hamburg
2. überarb. Aufl. –
Hamburg: Ellert & Richter, 1991
ISBN 3-89234-225-3

Bildnachweis

Klaus Bodig, Hamburg: S. 63, 70/71, 76/77, 120/121, 123, 124, 165
Gunnar Brumshagen, Hamburg: S. 18/19, 131
Erwin Falk, Norderstedt: S. 199
Frederika, Hamburg: S. 27
Claus Herch, Hamburg: S. 160/161
Egbert A. Hofmann, Hamburg: S. 173
Nicola von Hollander, Hamburg, S. 184
Irene Jung, Hamburg: S. 112, 114/115
Wolfgang Kunz, Hamburg: Titel, S. 108/109
Andreas Laible, Hamburg: S. 57
Ralf Lautenschlager, Hamburg: S. 105
Dieter Luetgen, Hamburg: S. 178/179
Paul Mahrt, Osterholz-Scharmbek: S. 12, 33, 38/39, 41, 55, 66/67, 75, 84/85, 87, 98/99, 129, 135, 150/151, 153
Axel Springer-Archiv, Hamburg: S. 94/95
Stephan Wallocha, Hamburg: S. 46/47, 50/51, 141, 143, 190

Inhalt

Liebe Leserin, lieber Leser,

das Land, das über Jahrzehnte nicht nur den Bürgern der westlichen Bundesländer, sondern in seinen schönsten Teilen auch den Menschen aus Leipzig, Erfurt oder Halle verschlossen war, steht wieder offen. Für die Nachkriegsgeborenen im Westen war es ein unbekanntes Land, den Reisenden im Osten versperrten der staatlich organisierte Massentourismus und willkürlich gesetzte Grenzen den Weg zu ihren schönsten Wäldern und Stränden. Jetzt kann der Hamburger entdecken, was 40 Jahre lang für ihn ferner lag als manch afrikanischer Staat; der Dresdner darf sich endlich wieder auch dort sonnen, wo vordem Privilegierte unter sich sein wollten.

Reporter und Fotografen des Hamburger Abendblatts waren immer wieder zwischen dem ehemaligen Grenzübergang bei Schlutup und der polnischen Grenze unterwegs und haben in Reportagen ein Bild der Städte, Dörfer und wechselvollen Landschaften Mecklenburgs und Vorpommerns gezeichnet. In diesem Buch werden nun – Anregungen für Kurzreisen – die Eindrücke der Berichterstattung zusammengefaßt. Sie laden ein in das Land der Seen und Wälder, der schnurgeraden Alleen, der weiten Strände und einmaligen Kulturstätten. An die schönsten Küsten der Ostsee geht die Reise, auf die Halbinsel Fischland Darß-Zingst, auf die Insel Rügen, nach Usedom, nach Wismar, Rostock, Stralsund und Schwerin.

Das Buch, jetzt in neuer Auflage und entsprechend aktualisiert, soll Sie mit zahlreichen Tips auf dieser Tour begleiten. Sie werden ein Land entdecken, das sich in einmaliger landschaftlicher Schönheit präsentiert, aber auch ein Land, in dem sich die sichtbaren Spuren sozialistischer Mißwirtschaft noch auf lange Zeit nicht verwischen lassen. Dauern wird auch die touristische Erschließung dieses einmaligen Ferien- und Freizeitgebiets Mecklenburg-Vorpommern. Gewohnte Ansprüche westlicher Besucher können deshalb noch nicht gleich erfüllt werden. Jeder Besuch im neuen Bundesland trägt aber dazu bei, daß es vorwärtsgeht.

Peter Kruse
Chefredakteur Hamburger Abendblatt

Mecklenburg und Vorpommern auf einen Blick

Horst Schüler

Mit den Klischees muß man leben. Die Bayern werden danach schon in Lederhosen geboren, alle Berliner haben ein loses Mundwerk, Schwaben hören erst auf zu schaffen, wenn sie ihr Häusle gebaut haben, und die Mecklenburger? Ach ja, die sollen so bedächtig sein, daß der Weltuntergang bei ihnen ma später stattfinden wird als anderswo.

Das ist natürlich Larifari, obgleich, so ganz von der Hand weisen möchte man es nun auch wieder nicht. Zum Beispiel die Mecklenburger - vorlaut sind sie nun weiß Gott nicht, und ehe sie handeln, überlegen sie besser dreimal. Auch was die Geschichte der Deutschen angeht, da spielten sie niemals die Vorreiter. Große Politik, Umstürze, Revolutionen überließen sie lieber anderen. Nicht umsonst heißt es in einem Geschichtsbuch: „Von Mecklenburg gingen keine anhaltenden Impulse aus, die reichsgeschichtliche Bedeutung besaßen. Im Gegenteil, Mecklenburg blieb in seiner Geschichte weitgehend auf sich bezogen."

Im Grunde ist das ein ganz sympathischer Wesenszug, zumindest kann niemand behaupten, die Mecklenburger hätten jemals ohne Not versucht, sich in die Geschichte anderer einzumischen, ihnen gar etwas wegzunehmen. Andere haben da weniger Bedenken, selbst wenn es um das Liedgut geht. Singen wir etwa nicht alle gern von den Nordseewellen, die an den Strand trecken? Dabei hat Martha Müller-Grählert, die Dichterin dieses Liedes, in Wirklichkeit die mecklenburgischen Ostseewellen besungen, schließlich war sie in Zingst beheimatet, doch wer weiß das schon noch?

Bei aller Behäbigkeit und Zurückhaltung also - stolz auf ihre Heimat sind die Mecklenburger schon. Wie sollten sie auch anders! Eine Landschaft, die so viel Schönheit und Ruhe ausstrahlt, soll man erst mal finden. Nicht umsonst fahren Jahr für Jahr unzählige Urlauber nach Mecklenburg und Vorpommern. Allein im Bezirk Rostock wurden 1989 mehr als drei

Millionen gezählt. Heiligendamm ist das älteste deutsche Ostseebad überhaupt, 1793 gegründet. Mecklenburg/Vorpom-
mern gilt als das bei weitem größte Erholungszentrum in den
neuen östlichen Bundesländern.

Geht es also um die Schönheit dieses Landes, dann wird es
Zeit, Fritz Reuter zu zitieren. Der 1810 in Stavenhagen geborene Dichter (gestorben 1874 in Eisenach) gehört zu denen,
die das Plattdeutsche literaturfähig gemacht haben. Über sein
Mecklenburg aber hat Reuter einmal so geschrieben:
„As uns' Hergott de Welt erschaffen ded, fung bei mi Meck-
lenborg an... un schön is 't in'n ganzen worden, dat weit jeder, de dorin buren is..."

Nun ist allerdings das, was nach dem Krieg bis 1952 als
Mecklenburg eines der fünf Länder der DDR war, um ein er-
hebliches Stück angereichert worden - um Vorpommern nämlich. Das ist die Küstenregion mit so bedeutenden Städten wie
Stralsund, Greifswald (hier wurde Caspar David Friedrich
1774 geboren), Anklam, Demmin etwa, mit der Insel Rügen
und so bekannten Badeorten wie Ahlbeck, Heringsdorf, Bansin, um nur einige zu nennen. 1720 kam Vorpommern zu
Preußen, zuvor hatte es unter deutscher, polnischer, dänischer
und schwedischer Herrschaft gestanden.

Als Mecklenburger haben die Vorpommern sich nie gefühlt.
Und wenn man Carola Stern glauben darf, dann werden sie
das auch in Zukunft nicht. Die in Usedom geborene Journa-
listin und Schriftstellerin schrieb nach einem Besuch ihrer Heimat, es lägen überall die blauweißen Fahnen Pommerns bereit. Wenn jedoch ihre Landsleute schon irgendwo eingeglie-
dert werden müßten, dann wollten sie lieber dem zukünftigen
Brandenburg zugeschlagen werden als Mecklenburg.

Das mag dem Fremden kleinkariert erscheinen, doch vielleicht denkt er, der Hamburger etwa, einen Augenblick daran,
daß die Harburger auch gern ihre Eigenständigkeit betonen.
Und in Berlin tun's die Spandauer. Und die Franken wollen
auch keine Bayern sein. Patriotismus ist nun mal eine Sache,
die vor der Haustür beginnt.

Wenden wir uns besser der Geschichte zu. Seinen Namen lei-

Bronzedenkmal des Dichters Fritz Reuter in Stavenhagen

tet Mecklenburg von einer wendischen Burganlage her, der Michelenburg. Sie lag etwa sechs Kilometer südlich von Wismar bei dem Dorf Mecklenburg und wurde 955 erstmalig erwähnt, als Kaiser Otto III. dort eine Urkunde ausstellen ließ. Wie auch die anderen Gebiete östlich der Elbe war Mecklenburg also lange von slawischen Stämmen bewohnt, von den Obotriten und den Liutizen, auch Wilzen genannt. 789 führte Karl der Große einen Feldzug gegen die Wilzen, während die Obotriten Karl in seinem Kampf gegen die Sachsen unterstützten.

Um 1100 begann die deutsche Einwanderung nach Mecklenburg. 1147 wurden die Obotriten nach dem sogenannten Wendenkreuzzug gezwungen, den christlichen Glauben anzunehmen. Der Sachsenherzog Heinrich der Löwe eroberte von 1160 bis 1167 das Land, er gründete die Grafschaften Schwerin, Ratzeburg und Dannenberg sowie die Bistümer Schwerin und Ratzeburg. Im Kampf gegen Heinrich wurde der Obotritenfürst Niklot getötet. Sein Sohn Pribislaw trat zum christlichen Glauben über und wurde mit Nordmecklenburg als Herrschaftsgebiet belohnt. Seine Bindung zu Heinrich dem Löwen (der ließ die Dome in Lübeck, Ratzeburg und Schwerin bauen) war ungewöhnlich eng, er begleitete ihn sogar auf einer Pilgerfahrt nach Jerusalem. Und Mathilde, die Tochter Heinrichs, heiratet den Sohn des Wendenfürsten. Pribislaw wurde so zum Stammvater des mecklenburgischen Fürstengeschlechts, des einzigen slawischen, das sich bis 1918 behauptete.

Als 1180 Heinrich der Löwe vom sächsischen Adel gestürzt und die Reichsacht über ihn verhängt wurde, drangen die Dänen in das Machtvakuum an der Ostsee ein. Sie zwangen den Mecklenburgern und Pommern die Lehnsoberhoheit auf, die erst in der Schlacht von Bornhöved 1227 ein Ende fand. Erbstreitigkeiten und in deren Folge mehrere Teilungen des Landes bestimmten die folgende Zeit. 1229 folgte die erste Teilung in die Fürstentümer Mecklenburg, Parchim, Güstrow und Rostock. Als stärkste Kraft im Lande erwies sich Herzog Heinrich II., dessen Regierungszeit zwischen 1302 und 1329 lag. Sein Sohn Albrecht III. wurde 1364 sogar zum schwedischen König gewählt, verlor jedoch später die Unterstützung im Lande, kam in Gefangenschaft und verzichtete 1405 auf die Krone.

1621, das Jahr der nächsten Teilung Mecklenburgs. Sie ergab die Herzogtümer Mecklenburg-Schwerin und Mecklenburg-Güstrow. Sieben Jahre später wurden die mecklenburgischen Herzöge wegen ihrer angeblich wankelmütigen Haltung im Dreißigjährigen Krieg als „Hochverräter" abgesetzt, die Herrschaft übernahm der oberste Feldherr des kaiserlichen Heeres, Albrecht von Wallenstein. Doch nur für zwei Jahre. Als Schwedenkönig Gustav II. Adolf 1630 in den Krieg eingriff, mußte Wallenstein als Herzog von Mecklenburg abdanken.

Die dritte Teilung des Landes in die Herzogtümer Schwerin und Strelitz folgte 1701. 1803 gaben die Schweden Wismar an Mecklenburg zurück, die Stadt war ihnen 1648, im Westfälischen Frieden, zugesprochen worden. 1849 wurde Mecklenburg eine konstitutionelle Monarchie. Und bis 1918 typisch für das Land: Herrscherhaus, Großgrundbesitzer und einige bürgerliche Familien entschieden seine Geschicke. Der übrigen Bevölkerung blieb keine Entfaltungsmöglichkeit, sie durfte „ein bißchen lesen, schreiben und rechnen lernen, das genügt". Kein Wunder, wenn von „Ostelbien, dem Land der Junker und Tagelöhner" gesprochen wurde.

Am 14. November 1918 verzichtete der Großherzog von Schwerin, Friedrich Franz IV., auf die Thronrechte. Noch im Februar des Jahres hatte er die Regierung in Strelitz mit übernommen, als Adolf Friedrich VI. durch Selbstmord aus dem Leben geschieden war. Beinahe über Nacht löste die parlamentarische Demokratie ein 400 Jahre altes ständisches Verfassungswesen ab.

Über 70 Jahre ist das her. Jahre, in denen Mecklenburg eine faschistische Diktatur ertragen mußte und eine stalinistische. Und natürlich den Krieg, diesen schrecklichen Krieg. In seinem Gefolge wurde es mit Vorpommern vereint und ist jetzt neues Bundesland im wiedervereinigten Deutschland.

Mecklenburg/Vorpommern

Bezirk Rostock: 951 000 Einwohner, 7074 Quadratkilometer
Bezirk Schwerin: 594 000 Einwohner, 8672 Quadratkilometer
Bezirk Neubrandenburg: 620 000 Einwohner, 10 948 Quadratkilometer

Größere Städte

Rostock: 252 575 Einwohner
Schwerin: 130 120 Einwohner
Neubrandenburg: 89 743 Einwohner
Stralsund: 76 600 Einwohner
Greifswald: 68 445 Einwohner
Wismar: 57 974 Einwohner

Größere Seen

Müritz: 115,3 Quadratkilometer, 31 m tief
Schweriner See: 65,5 Quadratkilometer, 51 m tief
Plauer See: 38,7 Quadratkilometer, 23 m tief
Kummerower See: 32,9 Quadratkilometer, 25,5 m tief
Kölpinsee: 20,5 Quadratkilometer, 28 m tief

Inseln

Rügen (mit 926 Quadratkilometern die größte deutsche Insel),
Usedom, Poel, Ummanz, Hiddensee.

Berühmte Bürger

Ernst Moritz Arndt, Schriftsteller, 1769-1860
Caspar David Friedrich, Maler, 1774-1840
Philipp Otto Runge, Maler, 1777-1810
Hellmuth Graf von Moltke, Generalfeldmarschall, 1800-1891
Fritz Reuter, Schriftsteller, 1810-1874
Rudolf Virchow, Arzt, 1821-1902
Heinrich Schliemann, Archäologe, 1822-1890
Otto Lilienthal, Flugpionier, 1848-1896
Hans Fallada, Schriftsteller, 1893-1947

Am „anderen" Ufer des Schaalsees

Egbert A. Hoffmann

Laue Brise kräuselt das Wasser. Im Schilf aufgeregtes Bläß-huhngeschnatter, zwei Fischreiher starten schwerfällig, Kran-che stolzieren am Ufer, Rohrweihen kreisen majestätisch, Froschkonzert vom nahen Tümpel. Irgendwo ruft de Kuckuck. Ein Specht hämmert.

Idyll am Schaalsee, dem größten, schönsten, tiefsten, einsam sten Gewässer Norddeutschlands. Ich sitze auf einem vermo derten Baumstamm und blicke auf die sonnige Wasserfläche Viereinhalb Jahrzehnte saß hier niemand - die Fünf-Kilometer Sperrzone der DDR war tabu. Flora und Fauna blieben unge stört, mitten in Deutschland, unweit jener Irrsinnsgrenze, die nun ihre Schrecken verloren hat. Den Wagen ließ ich in Ma rienstedt stehen, um durch diese unwirkliche Gegend zu wan dern. Zunächst gehe ich auf dem einstigen Todesstreifen, dem sogenannten Kolonnenweg, ausgelegt mit Betonplatten für Fahrzeuge der Grenzer. Eine unebene Piste, für Radfahrer wohl kein reines Vergnügen. Am See ein Trampelpfad Rich tung Zarrentin. Im Unterholz die Fundamente einstiger Häu ser, die man fürs Schußfeld eingeplant hat, auch die Überreste eines früher berühmten Hotels. Nur Steintreppen sind noch da, enden im Nichts. Aus Kellern wachsen mannsdicke Bäu me. Spuren deutscher Teilung.

Zarrentin, mecklenburgische Kleinstadt mit kaum 3000 See len. In den Lokalen „Freundschaft" und „Vier Linden" fährt man gute Hausmannskost auf. Aus dem HO ist eine GmbH geworden. Am See zimmert man an Stegen und Bootshäusern. Das Holz stammt aus Hamburg. Ein Bauunternehmer ließ es ankarren, als er hörte, daß die Zarrentiner bislang keine Boote hatten und nur unter Bewachung baden durften. Inzwischen haben sie Boote, mit einem „Zt" am Bug. Taxifahrer Klaus Draeger pflegt seinen betagten Wolga. Er bringt Gäste, wohin sie wollen.

Wer sich informieren will: Telefon 085591/367.

Wieder die Einsamkeit neben Schilfrohrsängern und Haubentauchern. Über die Schaale hinweg, den Seeabfluß zur Elbe. Immer am Wasser entlang, durch wildsprießende Vegetation, Paradies gefiederter Bewohner. Schaliß und Techin, zwei vergessene, verwitterte, einst lauenburgische Dörfer, mit Traumblick aufs Wasser. Am besten marschiert sich's auf dem Kolonnenweg. An strategisch wichtigen Stellen stehen noch kantige Bewachungstürme, nun mit zugeschweißten Türen. Stundenlang kann man durch dieses Naturwunder wandern. Im Bernstorffer Binnensee, einem buchtenreichen Nebengewässer, gibt es zwei Inseln, die schon lange niemand mehr betreten hat. Enklaven im Niemandsland. Terra incognita seit 45 Jahren. Ich würde was drum geben, dort zu landen, um Urwaldforscher zu spielen. Wildschweine, erzählt man mir, sollen sich dort ungestörter Familienpflege widmen, Seeadler und Kormorane haben Lust zum Brüten. Welch eine Welt! Keine zehn Meter neben mir landet ein bunter Eisvogel, mustert mich neugierig, ohne Angst.

Lassahn, Dorf am See mit achthundertjähriger Abunduskirche auf dem Hochufer. Nebenan regiert die Gegenwart mit sichtbarem Optimismus. Das Gasthaus nennt sich in frischen Farben „Schaalsee-Treff", bietet gute Kost.

Nicht weit von Lassahn die größte Schaalsee-Insel, allerdings per Damm mit dem „Festland" verbunden. Das ist der Kampenwerder mit dem Dorf Stintenburg. Hier gibt es keinen Kolonnenweg, man hatte die Insel vom Abschottungsbollwerk ausgeklammert. Also nur beschwerliche Waldpfade.

Deutsches Schicksal an diesem See. Das gilt auch für das Dorf Stintenburger Hütte. Aus dem Wintergarten des verfallenen Gutshauses recken sich schon ganze Bäume. Die meisten Bewohner waren einst in Bessarabien am Schwarzen Meer zu Hause. 1941 befahl Hitler ihre „Heimkehr ins Reich" und siedelte sie in Westpreußen an. 1945 zogen sie von dort mit den Trecks westwärts. Und 1946 verbannten sie die Machthaber der Sowjetzone in das Dorf am Schaalsee. Danach 44 Jahre Sperrzone ohne Kontakte nach West und Ost - grausames Schicksal.

Unberührte Uferlandschaft am Schaalsee, dem schönsten, tiefsten und einsamsten Gewässer Norddeutschlands

Ich wandere weiter durch die wuchernde Natur. Spuren der Geschichte auf Schritt und Tritt...

Autofahrer brauchen von Hamburg bis Zarrentin nur wenig mehr als eine Stunde – entweder von der Autobahnabfahrt Zarrentin oder ab Autobahnabfahrt Talkau über Mölln, Schmilau und Seedorf. Den Wagen kann man in Zarrentin unweit der Kirche oder neben dem einstigen Kloster parken. Auch für Besucher, die am Ostufer des Schaalsees wandern wollen, etwa ab Lassahn, Techin, Bernsdorff oder Dutzow, empfiehlt sich die Anfahrt über Zarrentin. Ebenso gut sind Dutzow, Kneese und Bernsdorff auch von der Bundesstraße Ratzeburg-Gadebusch aus erreichbar.

Naturschutz im Kreis Hagenow

Nicola von Hollander

Ein feuchtheißer Sommer mit Invasionen beißender Mücken wäre Gerd Fehse gerade recht. Nicht etwa aus Boshaftigkeit, eher aus Ohnmacht.

Für Sommer und Herbst 1991 nämlich befürchtet er eine Touristenwelle, die über die Westmecklenburger Seenplatte schwappen wird. Dem Vogelkundler aus Hagenow stehen Sorgenfalten auf der Stirn. „Hoffentlich werden die Vögel jetzt nicht totfotografiert." Mecklenburgs Naturschützer, die selbst erst erkunden müssen, was im ehemaligen Sperrgebiet während des vierzigjährigen Dornröschenschlafs gedeihen konnte, fühlen sich einem Ansturm auf die Idylle kaum gewachsen.

Noch liegt der Schaalsee still zwischen nebligen Steilhängen und Uferröhricht. Nur ein paar Enten zerschneiden die glatten Wasserspiegelbilder des mit 76 Meter tiefsten deutschen Moränensees, ein Graureiher fischt im flachen Wasser, hysterische Teichhühner flüchten.

Die Perlgras-Buchenwälder und die Erlenbrüche des Uferbereichs sind europaweit einzigartig. Der Schaalsee hat ein besonderes kontinentales Klima und eine Vegetation mit Arten, die normalerweise weiter östlich zu Hause sind. Gleich nebenan im Kreis Hagenow, jenseits der zum Wasser abfallenden Schaalseehänge, trägt das Lokalklima plötzlich atlantische Züge, die sogar der Stechpalme gefallen. Die Eiszeit hinterließ auf Hügelrücken und in Talfurchen ein Klimamosaik. Sie war hier auch eine vielseitige Landschaftsbildnerin: Das ablaufende Wasser an den Hängen des Schaalsees schuf alle Feuchtigkeitsgrade, die ein Boden haben kann, und ein besonders kalkhaltiges Erdreich.

Pflanzen lieben das: Die Grünliche Waldhyazinthe etwa, eine Orchidee mit starkem Vanilleduft, würde hier sonst im Schatten der langstämmigen Buchen nicht wachsen. Mit ihr kam auch der Nachtschwärmer, den sie zum Überleben braucht.

für den seltenen Sumpfwurz bietet das Seeufer ideale Bedingungen. Und im Frühjahr, erzählt der Botaniker Rudolf Schöneich, kleiden die auf der roten Liste stehenden Schlüsselblumen die Hänge in ein schwefelgelbes Blütenmeer.

Der Schatten des Grenzzaunes war Überlebensschatten, auch für zwei der letzten Seeadlerpaare, die hier mit Kranichen, Sing- und Zwergschwänen, Löffel-, Stock- und Kolbenenten ein Naturrefugium fanden. Für durchziehende Silberreiher, Höckerschwäne und Störche deckt der fisch- und kleingetierreiche Schaalsee den Tisch auf ihrem Zug gen Norden. Die Rohrdommel, die seltene Wasser- und Bleßralle und der blaugefiederte Eisvogel sind ständige Gäste. Wer geduldig wartet, könnte auch den Gänsesäger beim Fischen beobachten, der mit seinem gezähnten Schnabel Stinte aus dem Wasser holt. Als ein Seeadlerpaar 1989 am Westufer des Schaalsees ausgesetzt wurde, siedelte es bald auf die ruhigere Ostseite über. Möglich, daß es ständige Zivilisationsgeräusche vertrieben haben. Wie wird es ihm jetzt nach der Grenzöffnung ergehen? Seeadlereier stehen auf Schwarzhandelslisten ganz oben. Das sorgt auch die mecklenburgischen Naturschutzbeauftragten, die nur nach Feierabend mit Fernglas und Naturschutzemblemen losmarschieren können.

Naturschutz im Kreis Hagenow steht, wie fast überall im neuen Bundesland, immer noch auf ehrenamtlichen und wackeligen Beinen. In Zarrentin entließ eine Großwäscherei bis 1986 einige Tonnen Waschmittel monatlich in den Schaalsee. Wasserproben wurden zwar gezogen, doch Ergebnisse nie veröffentlicht. Aus dem von Natur aus nährstoffarmen See ist inzwischen durch Einleitungen aus Ost und West ein überdüngtes Gewässer geworden, in das immer noch ungeklärte Abwässer fließen.

Deshalb wird für Flora und Fauna des Schaalsees auch die Zusammenarbeit zwischen den Ländern überlebensnotwendig. Sie ist noch jung - auf Arbeitsgruppenebene - und hat zunächst ein grenzübergreifendes „Naturschutzkonzept Westmecklenburger Seenplatte" zum Ziel - mit dem Schaalsee als Kernstück. Schon im Sommer 1988 trafen sich der schleswig-holsteinische Ministerpräsident Engholm und der frühere DDR-Umweltminister Reichelt zu Vorgesprächen über ein „Integriertes Naturschutzprogramm" von Lübeck bis Lauenburg. Daran wird inzwischen intensiv gearbeitet. Das Problem: Der Schaalsee - das Westufer überwiegend in Privatbesitz - ist immer noch nur Landschaftsschutzgebiet. Will heißen: Sonderschutzzonen, zum Beispiel für Seeadler, können nicht ausgewiesen werden. Das gleiche gilt auf mecklenburgischer Seite. Nur die Möwenburg vor Zarrentin wurde schon vor dem Krieg mit strengeren Auflagen unter Naturschutz gestellt. Aber während man noch grübelt, wie Ökologie, Erholung und Wirtschaft in einem „Mekklenburgischen/Lauenburgischen Naturschutzpark" schonend verknüpft werden könnten, laufen die Vorbereitungen für Wassersport und Freizeitvergnügen schon längst auf Hochtouren.

Seit November 1989 stellen Rostocker, Schweriner und Ostberliner Anträge für den Bau von Stegen und Bootshäusern am Schaalsee; ein Schwarm von Ruder- und Paddelbooten eroberte das vierzig Jahre lang verbotene Gewässer; seit Weihnachten 1989 heften Bundesbürger immer wieder Spickzettel mit Kaufangeboten an die morschen Türen alter Bauernhäuser. Bestellungen von Angel- und Paddelbooten überfluten die Lieferanten.

Die Bewohner des ehemaligen Sperrgebietes fühlen sich restlos überfordert. In der Bredouille zwischen neuer Freiheit und Fremdenverkehr einerseits und Schutz der Naturidylle andererseits läßt sich derzeit immer noch nicht frei denken. Immerhin hat der Zarrentiner Stadtrat Bootshausbau und segeln jetzt verboten - den Tourismusfreunden zum Trotz. Aber wer greift ein, wenn Segler von der Westseite mit ordentlichem Fahrtwind hinübergleiten? Aus Kiel kommt noch keine Orientierung.

Die Zeit drängt. Wenn nicht bald ein Konzept für den Naturschutzpark steht, wird die Ruhe in sensiblen Waldstücken, Schilfstreifen und auch dem Techiner See, der für den Wassersport gesperrt werden soll, keine rechtliche Grundlage haben. Sind Mückenschwärme als Wasserpolizisten wirklich die letzte Lösung?

Das Alte Rauchhaus in Schaddingsdorf

Thomas Borchert

Ruß klebt in einer dicken schwarzen Schicht an Decken und Wänden. Magda Bollow, eine alte Frau in Kittel und Kopftuch, angelt mit einer uralten Holzgabel Schinken von der Decke. „Als ich jung war", erzählt sie, „wurde hier in der Diele nicht nur geräuchert. Mit Flegeln haben wir das Getreide gedroschen."

Magda Bollow besitzt eines der ältesten noch erhaltenen Rauchhäuser, 1746 erbaut. Ein Tor, groß genug für die Heuwagen, führt in die Diele, auf dem Dachboden darüber lagert das Heu. Von der Diele führen Türen in Wohnstube, Schlafkammern und Küche.

Was früher in jedem Bauernhaus üblich war, betreibt heute nur noch Frau Bollow: die Kalträucherei. An der Dielendecke hängen dicht an dicht Schinken und Preßkopf, Mett- und Leberwürste. Der Küchenherd hat keinen Schornstein. Von der Feuerstelle quillt der Rauch durch einen breiten Schlitz an der Decke in die Diele. „Drei Wochen hängt eine Mettwurst, acht Wochen ein Schinken", sagt Frau Bollow.

Die alte Frau lebt heute in einer kleinen Kate neben dem Haupthaus. Dort macht sie jeden Morgen Feuer in der Küche und kocht Wasser - um Rauch zu erzeugen. Magda Bollow erzählt gern Geschichten von ihrem Haus, wenn Besucher freundlich darum bitten; nur Schinken oder Wurst verkaufen - das kann sie nicht. „Das ist alles Fleisch für Nachbarn oder Freunde, das ich hier räuchere", sagt sie. Das an einem märchenhaften Moor gelegene Rauchhaus ist trotzdem interessant.

Die Fahrt zu Frau Bollow in Schaddingsdorf ist eine Landpartie: Gleich hinter Mustin bei Ratzeburg liegt eine wunderschöne Landschaft mit Wäldchen und Seen, von kleinen Straßen durchzogen. Die Hügel sind so flach, daß auch Radfahrer ihre Freude haben; selbst wenn sie in den Dörfern mit Kopfsteinpflaster kämpfen müssen.

Hinter der alten Grenze sind wir links abgebogen in Richtung Dechow. Am Röggeliner See entlang führt der Weg nach Carlow. Am Waldrand rosten noch Panzersperren vor sich hin, die früher am Grenzzaun standen. Weiter in Richtung Rehna, aber vorher rechts ab nach Demern und Schaddingsdorf. Magda Bollow wohnt im zweiten Haus auf der rechten Seite.

Reiseziel: Schaddingsdorf
Lage des Ortes: siehe Text und Karte

Stelldichein von Wurst und Schinken im Alten Rauchhaus

Rund um Gadebusch

Egbert A. Hoffmann

Für einen Tag zu Besuch im westlichen Mecklenburg. Dazu gehört jenseits der einstigen Grenze das frühere Sperrgebiet. Es war auch für DDR-Bewohner vierzig Jahre lang verschlossen. Terra incognita mitten in Deutschland.

Die Sonne spiegelt sich im See. Milchige Dunstschleier wabern am Schilf. Im Sommer kreuzen dort ungezählte Segelboote. „Mecklenburg" und „Heinrich der Löwe" schippern zwischen Ratzeburg und Rothenhusen, an Deck fröhliche Ausflügler. Nur im Nordteil des Sees wurde die Stimmung früher gedrückt - dort gehörte das Ostufer zum anderen Deutschland. Das Dorf Utecht dämmerte hinter scharfkantigen Zaunpalisaden, 44 Jahre lang unerreichbar.

Jetzt sind wir in Utecht, dem Bauerndorf am Ratzeburger See. „Abends", erzählt ein Bewohner, „wanderten drüben die Lichter der Autos, unablässig, wie Perlen auf der Kette." Das ist die B 207 zwischen Mölln und Lübeck. Dazwischen die hellerleuchteten Fenster von Groß Sarau und Pogeez. Bis Kriegsende hatten viele Lübecker ihre Wochenendhäuser in Utecht. Die neuen Machthaber ließen sie planieren, wie auch Utechts Nachbardorf Campow.

Utecht wurde nicht nur zum Westen, sondern auch zum Osten eingezäunt. Ein Dorf im Fünf-Kilometer-Sperrgebiet, kaum Kontakt zum übrigen Deutschland. Enklave der Hoffnungslosigkeit. Zwar durften die DDR-Bewohner eine Besuchserlaubnis beantragen, aber das dauerte bis zu sechs Wochen. Bundesbürger hatten keine Chance. Viereinhalb Jahrzehnte eingemauert - wie erträgt man das? Die Antwort ist Achselzucken. „Wir haben uns abgewöhnt, über den See zu blicken."

Heute kommt man natürlich ans Utechter Ufer. Verschwunden sind die einst unüberwindlichen Zäune, die See und Dorf gleich dreifach trennten. Irgendwo im Schilf liegen noch verrostete Warnschilder: „Schutzstreifen" und „Betreten verboten". Erinnerung an böse Jahre.

Schlagsdorf. Seit 1945 haben Millionen Ausflügler vom West-ufer des Mechower Sees, der zur DDR gehörte, die wuchtige Kirche inmitten reetgedeckter Gehöfte gesehen. Sehnlicher Wunsch: Einmal dort sein dürfen! Heute darf man nach Schlagsdorf, das älter ist als Hamburgs Hafen. Im Mittelalter gab es hier eine berüchtigte Raubritterburg, wo reisende Kaufleute um Bares erleichtert wurden. Heute krächzen an der Kirche im Geäst knorriger Eichen beutegierige Krähen.

Szenenwechsel. Rieps an der Landstraße nach Schönberg. Bei mir werden Erinnerungen wach. Vor dem Krieg, als Kind, Ferien auf dem Bauernhof, grunzende Schweine, gackernde Hühner. Das Haus steht noch, der Stall nicht. Spurensuche ohne Ergebnis. Gleiches in der nahen Kleinstadt Carlow. Im Krieg war ich als Kinderlandverschickter bei Bäckermeister Beckmann. Die Bäckerei existiert nicht mehr. Nachbarn erinnern sich: Familie Beckmann flüchtete 1953 in den Westen, baute sich eine neue Bäckerei bei Grömitz. Alle sind längst tot, bis auf die Kinder. Auch hier keine Spuren.

Uralte, verwitterte Kirchen, gedrungener Stilmischmasch, aber „fest gemauert in der Erden" - Wahrzeichen des westlichen Mecklenburg. Die meisten waren schon immer zu groß für ihre winzigen Gemeinden. Sie sind der eigentliche Reiz der Gegend, Gotteshäuser als versteinerte Geschichte. Wer hineingeht, liest sich an unzähligen Inschriften fest. Da ist von Heiligen und Adeligen die Rede, die einst das Sagen über Leibeigene hatten. Die Pastoren erzählen von früheren Zeiten und aufwühlender Gegenwart. Sie waren hier immer die geistigen Reformer.

Die schönsten und ältesten Dorfkirchen stehen in Bülow und Meteln, in Demen und Groß Trebbow, in Vietlübbe und Kirch Stück, dem wohl ältesten Dorf Mecklenburgs, nördlich Schwerin, schon 1178 urkundlich erwähnt. In diese christlichen Schutzburgen flüchteten sich die Menschen, wenn früher fremde Heere das Land verwüsteten. Die vorletzten Invasoren waren amerikanische Truppen, die am 2. Mai 1945 das Gebiet westlich des Schweriner Sees kampflos besetzten. Am 2. Juli 1945 zogen sie wieder ab, und die Russen kamen.

Rehna, grau gewordene Kleinstadt, desolate Backsteinpracht. Endstation einer Stichbahn aus Schwerin, die Anschluß bis Schönberg haben sollte, aber nie bekam. Nur das Rathaus ist ein Farbtupfer. Als ältester Fachwerkbau gilt das „Deutsche Haus" 1517 von einem Wundarzt und Barbier errichtet. Zeitweise diente es als Schmiede und Kneipe. Blick in die Kirche des im 13. Jahrhundert gegründeten Benediktinerinnen-Klosters: Chorgestühl aus der Zeit Luthers, spätgotische Schnitzereien und gut erhaltene Gemälde, von unbekannten Meistern vor 600 Jahren an meterdicke Wände getüncht. Vom Kloster stehen noch Kapitelsaal und Reste eines Kreuzganges.

Dann vor Schwerin die Kreisstadt Gadebusch, 7143 Einwohner zählend. Ein Ort mit vielen Problemen. Der Bürgermeister erzählt, es gäbe noch keine zentrale Entsorgung, und um die Umgehungsstraße kämpfe man seit Jahren. Jetzt sei sie dringender denn je - wegen der vielen Westautos.

Die spätromanische Pfarrkirche, an der schon 1210 gemauert wurde, ist eines der bedeutendsten Baudenkmäler Mecklenburgs. Das Heimatmuseum zeigt frühgeschichtliche Funde. Im etwas schäbig gewordenen Renaissanceschloß von 1570, einem Werk des mecklenburgischen Baumeisters Christoph Haubitz nach norditalienischen Vorbildern, residiert heute die EOS, eine Erweiterte Oberschule.

Der Wagen holpert über schmale, kurvenreiche, schaglochzernarbte Landstraßen, Kopfsteinpflaster noch aus Kaisers Zeiten. Dann Wittenburg. Schönstes Bauwerk mit imposanter Freitreppe ist das Rathaus. Gegenüber in der Kneipe wird lautstark gebechert. Schon 1226 wurde Wittenburg zur Stadt gekürt. Aus jener Zeit stammt auch die frühgotische Bartholomäuskirche mit bronzenem Taufbecken. Der Turm kam erst 1909 dazu.

Reiseziel: Gadebusch
Lage des Ortes: 25 km westlich von Schwerin
Entfernungstabelle: siehe S. 165

Die spätromanische Pfarrkirche (1210) von Gadebusch

Ganz im Nordwesten: Der Klützer Winkel

Nicola von Hollander

Im Klützer Winkel, da drängen sich die Kopfweiden. Denn zwischen Priwallstrand und Wismarland riecht es nach Feuchtwiesen und Meer. Hier vermengt im Frühjahr der erste Heuschnitt seinen Duft mit der Honigsüße des Rapses. Und dort, wo der Weitblick endet, scheint sein strahlendes Gelb mit der unscharfen Horizontlinie zwischen Ostseewasser und Sommerhimmel zu verschmelzen. So ist das in diesem Winkel zwischen den Baltischen Busen: ein wenig hügelig, dennoch weitsichtig und herb-romantisch.

Schon die Anfahrt von Travemünde hat ihren Reiz. Mit der Fähre schaukelt man hinüber an den Priwall, dem ehemals äußersten Zipfel der Bundesrepublik. Doch drei Kilometer weiter haben wir schon die nordwestlichste Ecke Mecklenburgs unter den Reifen.

Bei Pötenitz geht's über die alte „Grüne Grenze", die noch im Februar 1990, kurz nach ihrer Öffnung, über eine Düne erklommen werden mußte. Das Plastikband über dem Strand, das seither Zaun, Stacheldraht und Alarmanlage ersetzt, hängt schlaff im Ostseewind.

Über der östlichsten Nase der Lübecker Bucht spannt sich ein Netz fast autofreier Wege. Und diesen Landstraßen, wie Mecklenburger sie nennen, stünde die Bezeichnung Landsteg wohl mancherorts besser zu Gesicht. Denn wer hier radelt, muß überhören können, daß seine schlecht gepolsterten Sportfelgen und Speichen auf einschlägigen Strecken lautstark vor sich hin ächzen. Es sei denn, er hat ein Gelände- oder Bauernfahrrad, denen auch der löcherige Kolonnenweg nichts anhaben kann. Berühmt-berüchtigt verläuft diese Lochspur - der alte Kontrollweg der Grenzsoldaten - parallel der abgewrackten Grenzzaunlinie. Und obgleich die Pedale hier mehr geschoben als getreten werden müssen, graben sich auf diesem Weg erlebte Geschichte und Ausblicke auf die Ostsee tief in die Erinnerung ein.

Im langen Schatten des 22stöckigen Maritims scheint der Strand trotzdem weitab der Zivilisation: 28 Jahre nur von Schwänen betreten. Als Junge, erzählt mir ein Hiesiger, habe er hier seinen Freischwimmer gemacht. Heute, mit fünfzig, seien seine besten Strandjahre hinterm Zaun geblieben; die Westwinde hätten lediglich immer den Mudgeruch von Algen und Meerschlamm herübergetragen. Und von dem maritimen Hotelkoloß jenseits der Bucht war für die Anwohner allerdings kaum mehr als die Dachterrasse im Blickfeld.

In Groß Schwansee steht nicht nur das klassizistische Schloß leer. Erst vor drei Jahren wurde die dort von der SED eingerichtete Schule umgesiedelt. Gleich neben der Allee zwischen Wasser und Park starren immer noch die Belüftungsrohre einer verlassenen Bunkeranlage über die ehemals gut gesicherte Mauer. Ein altes Munitionslager gegen den kapitalistischen Feind.

In Kalkhorst kann die Kirche des heiligen Laurentius Geschichten aus 760 Jahren erzählen. Zum Beispiel die eigene: Als der Gutsherr von Both einst vor der Küste in ein schweres Unwetter geriet, so berichtet die Überlieferung, habe er dem Himmel geschworen, eine Kirche zu stiften, falls er aus der Not errettet werde. Die Heiligen werden ihn gehört und die von Plessens, von Bernstorffs und von Biehls, die die Kirche in späteren Jahrhunderten mit ihren Wappen dekorierten, der Seenotrettung gedacht haben.

Am Kalkhorster Herrenhaus stimmt die vergleichsweise junge Geschichte gewiß nachdenklicher. In dem 1873 fertiggestellten Backsteinbau hatte Hitler eine seiner größten Kaderschulen untergebracht. Mehr als ein dutzendmal setzte er zusammen mit Heinrich Himmler seinen Fuß über diese Schwelle, hinter der heute Alte und Behinderte in der Weltabgeschiedenheit leben.

Weiter geht die Fahrt. Zwischen den Orten Brook und Boltenhagen taucht die Ostsee immer mal wieder sporadisch hinter Wiesenhügeln und Weiden auf, während ihre Steilküste kontinuierlich ansteigt. In Boltenhagen säumen endlich senkrecht abfallende Dünenwände einen steinigen Küstenstreifen.

Eine für Mecklenburgs Landschaft typische schnurgerade Lindenallee führt zum Schloß Bothmer im Klützer Winkel

Das Ostseebad lockt zwar mit Freizeitangeboten und Wander-
weg-Promenade, aber leider sind die Gästebetten wegen der
ungeklärten Eigentumsverhältnisse knapp. Die ehemaligen
FDGB- und Betriebsheime sind größtenteils geschlossen. Hotels haben nur eine geringe Kapazität.

Klütz, das nahegelegene Kreisstädtchen, ergänzt den Badebe-
trieb mit Kulturangebot. Da sind vor allem die St. Marienkir-
che, gebaut um 1330, und das dreiflügelige Schloß Bothmer.
Hier gibt Justus Frantz im Rahmen des Schleswig-Holstein
Musikfestivals in den Sälen und dem romantischen Schloßpark
Konzerte.

Durch Alleen, LPG-Dörfer und kurvenreiche Felder, immer
wieder vorbei an Kopfweiden und über Kopfsteinpflaster
durchschneidet der Rückweg den Klützer Winkel. Dieses Eck
ist wahrlich ein Fleckchen für sich.

Gaststätten: Einfache Gaststätten gibt es in Pötenitz und Dassow, in Boltenhagen das Imbißzentrum „Zur Waldschänke".

Besonders empfehlenswert: Die „Klützer Mühle" im Dorf
Klütz. Schöne Lage und Einrichtung, erstklassiger Service
und sehr gute, preiswerte Küche.

Reiseziel: Klützer Winkel
Lage des Ortes: ca. 25 km östlich von Lübeck

Ausgangspunkt	Entfernung in Kilometern	Durchschnittliche Fahrzeit in Stunden
Berlin	255	3,0
Dresden	463	5,0
Frankfurt a.M.	595	6,0
Hamburg	95	1,5
Hannover	250	3,0
Köln	495	5,5
München	860	8,5

Stadtpfarrkirche St. Marien in Klütz aus dem Jahr 1330

Spaziergang durch Wismar

Alwin Bellmann

Viele Wege führen nach Wismar, der schönste Weg führt über die Dörfer. Vom Grenzübergang Schlutup aus fahren wir auf der Fernstraße 105 bis nach Dassow, biegen dann nach links ab und erreichen die von altem Baumbestand flankierte Chaussee in Richtung Klütz. Wir passieren Neuenhagen, Kalkhorst und Hohen Schönberg, rollen weiter nach Christinenfeld bis Wahlenberg und dann entlang der Ostseeküste.

Man mag es loben oder auch beklagen: Die Kopfstein-Romantik auf dieser Straße ist dahin. Wo heute feiner Asphalt glänzt, hüpften noch vor einem Jahr die Wartburgs, Ladas und Trabis mit schaukelnder Karosserie unbekümmert an uns vorbei über das im Sonnenschein glänzende Steinpflaster. Auf dieser Strecke schlugen sie jeden Porsche, hier hatte selbst ein Formel-1-Wagen gegen einen Trabi nicht die geringste Chance. Unser Auspuff schepperte, die Achsen stöhnten, es wackelte, ballerte, knisterte.

Nirgendwo zwischen Flensburg und dem Bodensee gab es sonst eine Straße wie diese, zu Postkutschenzeiten erbaut und unverändert geblieben seit Postkutschenzeiten. Unberührte Landschaft links und rechts der Schlagloch-Linie: Wälder, Felder, Wiesen, weidende Kühe und Pferde. Den Autor hat die Strecke damals drei Reifen und zwei Felgen gekostet. Nun, auch oder gerade auf Asphalt führt der schönste Weg nach Wismar über die Dörfer.

Eine Alternative ist die nüchterne, langweilige Fernstraße 105 über Grevesmühlen, ebenfalls asphaltiert bis zur Lübschen Straße, in der um 1230 vom Obotritenfürsten Heinrich Burwy gegründeten alten Handels-, Hafen- und Hansestadt. „Im Rahmen der zweiten Etappe der feudalen deutschen Ostexpansion", verrät uns die alte sozialistische Stadtgeschichte, „wurde Wismar erbaut."

In der Lübschen Straße finden wir unseren Parkplatz, unweit des Heiligen Geists, einer rechteckigen gotischen Saalkirche aus dem 15. Jahrhundert. Gegenüber bröckelndes Mauerwerk, schmutzig-graue Fassaden. Aber, wie schön sie dennoch sind, diese barocken Bürgerhäuser. Für einen Augenblick schließen wir die Augen und träumen. Wenn Denkmalspfleger und Architekten hier in den nächsten Jahren ans Werk gehen, dann wird Wismar eine der schönsten Städte des vereinigten Deutschlands sein.

Eigentlich ist es das sogar schon heute. Wenn man ihre Schwierigkeiten bedenkt und die begrenzten Mittel, dann haben die Denkmalspfleger der ehemaligen DDR in Wismar bereits ihr Meisterstück geliefert. Schauen wir uns das einmal an. Ein bißchen bergan - nichts für Stöckelschuhe - wandern wir in Richtung Marktplatz. Was seine Ausdehnung angeht, kann sich nur noch Heides Markt mit ihm vergleichen. Aber solch ein Rathaus (1), das hat Dithmarschens Hauptstadt nicht, das hat in ganz Europa keine andere Stadt.

Eine ganze Seite nimmt er ein, dieser lichte, zwischen 1817 und 1819 errichtete und inzwischen hervorragend restaurierte klassizistische Bau mit seinem von dorischen Säulen getragenen Balkon. Leider ist der Dachstuhl ausgebrannt. Jahrhunderte trennen das Rathaus von Wismars ältestem Backstein-Bürgerhaus (2), das wir auf der Ostseite des Marktes entdecken. 610 Jahre hat der stufenförmige Pfeilergiebel des „Alten Schweden" auf dem Buckel. Draußen bestaunen wir die wunderschöne spätgotische Fassade, drinnen lassen wir uns im hübschen Restaurant verwöhnen.

Ein paar Schritte nur vom „Alten Schweden" sind es bis zur im Stil der niederländischen Renaissance erbauten „Wasserkunst" (3). In den Jahren 1579 bis 1602 erbaut, versorgte dieses mittelalterliche Schöpf- und Pumpwerk noch bis zum Ende des vorigen Jahrhunderts über 200 Häuser und 16 öffentliche Pumpen Wismars. Unweit des großen Marktes begegnen wir dann auf unserer kleinen Kultur-Wanderung dem Archidiakonat (4), einem der schönsten Zeugnisse Norddeutscher Backsteingotik. Während des Krieges stark beschädigt, wurde das Gebäude aus dem 15. Jahrhundert in den Jahren 1961/62 nach alten Plänen rekonstruiert. Nicht mehr zu retten dagegen war

Architektonische Gegensätze am Markt: Wismars ältester Backsteinbau (1380) neben einem Zuckerbäcker-Häuschen

Norddeutschlands schönster sakraler Backsteinbau St. Marien (5) aus dem 14. Jahrhundert. Nur noch der 80 Meter hohe Turm ragt als Wismars Wahrzeichen himmelwärts aus den Ruinen der ehemals dreischiffigen Basilika.

Ein Fußweg von fünf Minuten führt anschließend zum berühmten „Fürstenhof" (6), Wismars Gerichtssitz seit dem Jahre 1653. Spätgotisch präsentiert sich als „Altes Haus" der westliche Flügel, verziert mit plastischem Kalkstein- und Terrakottaschmuck das „Neue Haus" im Stil der italienischen Renaissance. Der Kalksteinfries schildert auf der Straßenseite die Geschichte des Trojanischen Krieges. Eine Restaurierung ist geplant.

In alter Schönheit ist dagegen die „Heiligen-Geist-Kirche" (7) wiedererstanden. Im Inneren finden wir Kunstwerke der zerstörten Kirchen St. Marien und St. Georgen, unter anderem die bedeutenden Glasmalereien aus den Obergadenfenstern der Marienkirche. Besonders sehenswert sind die während der Restaurierungsarbeiten zwischen 1964 und 1978 wiederentdeckten und freigelegten mittelalterlichen Wandmalereien.

Unser Spaziergang setzt sich fort entlang der im 13. Jahrhundert angelegten Grube (8). Als einziger künstlicher Wasserlauf Mecklenburgs verbindet die Grube den Schweriner See über Lostener See, Mühlenteich und Wallsteingraben mit der Ostsee. Nur einen Katzensprung vom schmalen Wasserlauf entfernt erhebt sich mit 37 Meter hohem Mittelschiff St. Nikolai (10), die Kirche der Seefahrer und Fischer. Um 1380 wurde mit dem Bau dieses gewaltigen Gotteshauses, einer Basilika mit siebenjochigem Langhaus, begonnen. Im Inneren hat das Barock die Spätgotik ersetzt, der verspielte Hauptaltar stammt aus der Rokoko-Zeit.

Das wohl schönste Bürgerhaus Wismars entdecken wir an der Schweinsbrücke. Von 1569 bis 1571 ist es für den Bürgermeister und Brauer Hinrich Schabbell errichtet und nach ihm benannt worden. Die Barockfassade ist eine Verbindung von Back- und Sandstein. Seit 1979 ist das „Schabbellhaus" (11) Stadtgeschichtliches Museum. Der Abschluß unserer kleinen Wismar-Reise führt uns durch das Wassertor (9) zum Alten lafen. Das Tor, nach dem Kriege sorgsam restauriert und rekonstruiert, ist das letzte von ehemals fünf Stadttoren der Befestigung aus dem 13. Jahrhundert. Der Alte Hafen, einst Kleinod dieser mecklenburgischen Ostseestadt, hat leider fast alles von seiner Romantik eingebüßt. Für die Denkmalsschützer dürfte hier leider nur noch sehr wenig zu retten sein. Fazit der Besuchsreise: Die zwei Autostunden von Hamburg oder dreieinhalb Stunden von Hannover aus lohnen sich. Viel Fleiß und Idealismus seiner Bürger haben dafür gesorgt, daß wenigstens die wichtigsten Baudenkmäler Wismars erhalten blieben.

Reiseziel: Wismar
Lage des Ortes: 60 km westlich von Rostock

Ausgangspunkt	Entfernung in Kilometern	Durchschnittliche Fahrzeit in Stunden
Berlin	233	3,0
Dresden	444	5,0
Frankfurt a.M.	649	7,0
Hamburg	133	2,0
Hannover	287	3,5
Köln	525	6,0
München	784	9,0

Wismars Alter Hafen mit dem Turm der Ruine von St. Marien (um 1370), einer ehemals dreischiffigen Basilika

Unterkünfte:

Hotel Wismar, Breite Straße 10.
Hotelzimmer sind knapp. In der Umgebung werden reichlich Privatquartiere angeboten.

Restaurants:

Als Gaststätten empfehlenswert sind der „Alte Schwede", Marktplatz (Küche 12.00–14.30 und 17.00–21.30 Uhr), der „Seeblick", Ernst-Scheel-Straße 27 (Di–Do 11.00–22.00 Uhr, Fr–Mo 11.00–24.00 Uhr) und „Gastmahl des Meeres", Altböter Straße 6 (Mo–Fr 10.00–20.00 Uhr, Sa 10.00–15.00 Uhr).

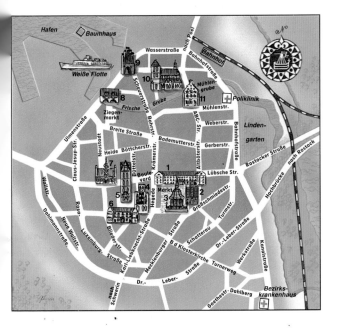

1 Rathaus, 2 Ältestes Backstein-Bürgerhaus, 3 Wasserkunst, 4 Archidiakonat, 5 St. Marien, 6 Fürstenhof, 7 Heiligen-Geist-Kirche, 8 Grube, 9 Wassertor, 10 St. Nikolai, 11 Schabbellhaus

Bad Doberan und seine Bäderbahn

Egbert A. Hoffmann

„Passen Sie bloß auf, daß Sie bei uns nicht unter die Räder
kommen", warnt mich vor dem Rathaus von Bad Doberan ein
alter Mecklenburger, „mit Molli ist nämlich nicht zu spaßen."
Ich weiß nicht, was er meint. Deshalb antworte ich, Molli sei
mir bislang unbekannt und ich wolle hier auch keine Damen
zwecks gemeinsamer Freizeitfreuden kennenlernen. Im übrigen erschiene mir Bad Doberan eher bieder als sündig. Der
Alte sieht mich nachdenklich an, zwinkert dann plötzlich aus
den Augenwinkeln: „Na, denn man tau..."
Später lerne ich Molli dann doch kennen - und bezahle sogar
für sie. Molli ist nämlich eine Schmalspurbahn, die schon vor
mehr als hundert Jahren durch Bad Doberan polterte. Das tut
sie heute immer noch. Mit neun Wagen achtern schnaubt das
blitzblank gewienerte Dampfroß durch die Kleinstadtgassen,
kurvt um Straßenecken, legt an der Goethestraße eine Ver-
schnaufpause ein - ein fauchendes Unikum als rollende Historie. Solche Dampfveteranen hatten wir vor Jahrzehnten auch
im Westen. Aber niemand hatte ein Herz für sie - fast alle
hauchten ihr Bahnleben auf dem Schrottplatz aus. Leider.
Erstaunlicherweise hatten die DDR-Mächtigen ein Herz, jedenfalls für Molli. Sie durfte trotz tiefrotem Defizit weiter auf
ihren Neunzig-Zentimeter-Gleisen vor sich hin dampfen und
wurde offiziell als „technisches Kulturdenkmal" eingestuft.
Doberans Bürger wissen das zu schätzen und akzeptieren ohne
Meutern die verräucherten Gardinen.
Tatsächlich ist Molli die beste Werbung für das Kreisstädt-
chen, das eine ungleich wertvollere Sehenswürdigkeit hat: das
hochgotische Backstein-Münster, eine der schönsten Kirchen
im ganzen Ostseeraum, bald sieben Jahrhunderte alt. Jahr für
Jahr bestaunen ungezählte Besucher die Gottesburg mit dem
Stummelturm. Im Mittelalter durfte nach den Regularien des
Zisterzienserordens kein „richtiger" Turm gebaut werden.
Natürlich lassen sich die meisten Touristen nach der Münster-

Das gotische Münster im alten Ostseebad Doberan

Besichtigung auch mit Molli ein. Außerhalb von Doberan kommt die Dampflok richtig auf Touren, schafft wohl so an die vierzig Sachen. Nach sechs Kilometern erreicht das Bähnle Heiligendamm. Das ist Deutschlands allererstes Seebad, 1793 von Herzog Friedrich Franz I. gegründet. Prunkvolles Kurhaus im klassizistischen Stil, Strandpromenade, viele weiße Villen. Letztere trugen dem Ort schon vor hundert Jahren das hochgestapelte Attribut „Weiße Stadt am Meer" ein.

Dabei können die Heiligendammer mit ihrem Strand weiß Gott keinen Staat machen - schmal und viel Geröll. Also nichts für Barfüßler. Heiligendamm war denn eigentlich auch nie ein Gestade für Wassersportler, sondern eher ein exklusives Nest für Betuchte. „In Heiligendamm", hieß es Anno dazumal, „lebt man, in Bad Doberan amüsiert man sich." Der Name stammt übrigens von einem breiten Steindamm, den der Zugereiste heute bei Uferwanderungen erklimmen kann. Vermutlich ist er im 16. Jahrhundert bei einer Sturmflut entstanden. Damals schottete er über Nacht eine flache Meeresbucht ab, den heutigen Conventer See, ein Vogelschutzgebiet.

Molli hält sich nicht lange in Heiligendamm auf, dampft im Blumenpflückertempo weiter westwärts, immer an der Küste entlang. Manche Passagiere spielen Trittbrettfahrer auf den altertümlichen Perrons. Bis Kühlungsborn in Sicht kommt, modernstes und größtes Seebad der ehemaligen DDR. Der 8400-Einwohner-Ort gibt sich großstädtisch - gleich drei Bahnhöfe für Molli! In Kühlungsborn-Ost steigt man aus, wenn man möglichst schnell im Meer eintunken will. Von Kühlungsborn-Mitte kann man durch den stillen Stadtwald wandern. Und in Kühlungsborn-West ist man dann dem Zentrum ganz nahe und am Ende des Molli-Törns. Die Lok stößt einen langen Seufzer aus, rangiert ans andere Ende der Wagenschlange, und zurück geht's - nach Bad Doberan.

Dieser Schienen-Methusalem ist nun wirklich ein Erlebnis. Er schnauft sich zwar nur 15 400 Meter weit, braucht dafür aber akkurat 45 Minuten. Das sind drei Bahnminuten je Kilometer. Jeder muntere Jogger schafft das schneller. Aber gemütlich sind die schlackernden Uralt-Vehikel. Immerhin macht es

Bad Doberans Attraktion ist die Schmalspurbahn „Molli"

Molli 15mal am Tag hin und zurück. Für erlauchte Gäste hat Molli auch einen Salonwagen, in den letzten vierzig Jahren wohl nur vom Parteiboß aufwärts frequentiert...

Bummel durch Kühlungsborn. Vier Kilometer makelloser, sehr breiter Strand, Kurpromenade, riesige Meerwasserschwimmhalle, Konzertgärten, Sportzentrum, Bibliothek, Sauna, Tennisplätze, Minigolf, Parks, Bars, freundliche Lokale, einige speziell schmackhaftem Meeresgetier gewidmet. Die schicken Villen, mehrere schon ausgewachsene Paläste, sind äußerlich gut in Schuß.

Ab Mai wird es jedes Jahr eng in Kühlungsborns Betten, auch auf den Campingplätzen. Wer Interesse hat, sollte vorher mal einen „Schnuppertag" einlegen und vor Ort die Lage peilen. Im noblen Ostseehotel gibt es eine Zimmervermittlung. Vielleicht wird kurzfristig mal was frei. Der Anruf lohnt sich: Telefon 00378293/691. Einfache Privatzimmer sind in den Läden von Kühlungsborn zu erfragen, übrigens auch in dem Nachbarbad Rerik sowie auf der Insel Poel. Das sind meist recht bescheidene Quartiere mit Bad und Klo auf dem Flur. Ich komme nicht unter die Räder von Molli. Abends schaukelt sie mich zurück nach Doberan. Aber die Schnellzüge Rostock - Hamburg halten hier nicht. Nicht mal Molli zuliebe. Wie schade.

Reiseziel: Bad Doberan
Lage des Ortes: 18 km westlich von Rostock

Ausgangspunkt	Entfernung in Kilometern	Durchschnittliche Fahrzeit in Stunden
Berlin	231	3,0
Dresden	461	5,5
Frankfurt a.M.	682	7,5
Hamburg	166	2,5
Hannover	323	4,0
Köln	558	6,5
München	789	8,5

Die ehemalige DDR ist immer noch eine Fundgrube aller Bahnfans, die sich speziell für Dampfrösser und Museumsstrecken interessieren. Die meisten Oldtimer haben trotz ausgeleierter Gleise und desolater Loks immer noch wichtige Verkehrsaufgaben zu erfüllen. Ihr Erhalt scheint bis auf weiteres gesichert, obgleich die Pflege von Dampfloks und Wagen große Schwierigkeiten macht und hohe Kosten verschlingt. Derzeit gibt es zwischen Ostsee und tschechoslowakischer Grenze - abgesehen von einzelnen Nebenstrecken - noch acht Bahnen, die auf schmaler Spur qualmen:

Bäderbahn „Molli" zwischen Bad Doberan und Kühlungsborn, Länge 15,4 Kilometer, in Betrieb seit 1886.

Rügenbahn „Rasender Roland" zwischen Putbus und Göhren, Länge 24,4 Kilometer, in Betrieb seit 22. Juli 1895 (siehe S. 97 f.).

Selketalbahn mit der Lok „Fiffi" zwischen Strassberg und Gernrode (Abzweig von Alexisbad nach Harzgerode), Länge 24,8 Kilometer, in Betrieb seit 1887.

Harzquerbahn „Quirl" zwischen Nordhausen und Wernigerode (mit Abzweigungen zum Brocken und nach Hasselfelde), Länge 78,9 Kilometer, in Betrieb seit 27. März 1899.

Elbebahn „Lößnitzdackel" zwischen Radebeul-West und Radeburg, Länge 16,5 Kilometer, in Betrieb seit 16. September 1884.

Zittauer Gebirgsbahn „Sträucherberta" zwischen Zittau und Kurort Oybin/Jonsdorf, Länge 16 Kilometer, in Betrieb seit 15. Dezember 1890.

Fichtelbergbahn „Bimmel" zwischen Cranzahl und Oberwiesenthal, Länge 17,3 Kilometer, in Betrieb seit 1897.

Ostererzgebirgsbahn „Weißeritz-Expreß" zwischen Freital und Kurort Kipsdorf, Länge 26,3 Kilometer, in Betrieb seit 1882. Dies ist die älteste der DDR-Schmalspurbahnen, mit starkem Personen- und Güterverkehr in landschaftlich reizvoller Mittelgebirgslandschaft - und das auf nur 75 Zentimeter breiten Gleisen!

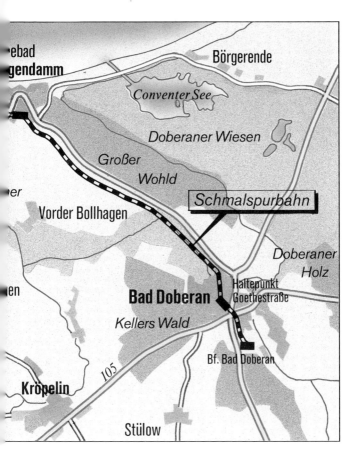

Hansestadt Rostock

Egbert A. Hoffmann

Immer wenn ich in Rostock bin, zieht es mich zum Patriotischen Weg 86, einem vierstöckigen Mietshaus. Hier wohnte einst ein Onkel, bei dem ich im April 1942 meine Schulferien verbrachte. Damals geschah Unfaßbares. Britische Bomber griffen nach einer neuen Strategie in vier aufeinanderfolgenden Nächten erstmals Rostock an, entfachten verheerende Flächenbrände, denen fast die ganze Altstadt zum Opfer fiel.

Die Erlebnisse jener Nächte und die Schreckensbilder der nächsten Tage tippte ich mir damals auf einer Schreibmaschine von der Seele, vervielfältigte die fünf Blatt Papier und zeigte sie in meiner Schule, dem Hamburger Realgymnasium des Johanneums. Natürlich wurde ich denunziert. Abends erschien die Gestapo bei uns in Eilbek. Hausdurchsuchung, scharfes Verhör, Beschlagnahme der Maschine. Man beschuldigte mich „dreckiger Feindhetze", zog schließlich wieder ab mit der Drohung: „Die Quittung kriegst du noch!" Die bekam ich auch. Kurz danach wurde ich, kaum 17, als erster meiner Klasse eingezogen…

Rostock heute, fast fünf Jahrzehnte später. Die entsetzlichen Wunden jener Unglücksnächte sind längst vernarbt. Durch einstige Trümmerviertel wurden neue Straßen gekerbt, so die überbreite Lange Straße. Barocke und klassizistische Giebel an der Kröpeliner Straße restaurierte man sorgfältig, paßte Neubauten historischen Fassaden an. Seit 1968 ist die „Krö" Fußgängerzone und Schlenderboulevard.

Rostock hat jetzt bald 250 000 Einwohner und zählt neben Weimar, Erfurt, Stralsund und Wernigerode zu den schönsten Städten der ehemaligen DDR. Unweit der Warnow wurden in den sechziger Jahren verfallene Mietskasernen abgerissen. Auf die Grundmauern setzte man Neubauten nach alten Plänen. Bodenständiger Backstein, glasierte Ziegel, Treppengiebel - behutsame Stadterneuerung. Moderne Architektur wurde dem gewachsenen Stadtbild angepaßt. Rostock sticht heute deutlich

Barocke Bürgerhäuser in der Rostocker Wagreuterstraße

ab von zerbröselnder Tristesse und rottendem Verfall anderer
ostdeutscher Städte.

Erstmals wurde Hamburgs Hanse-Schwester vor 801 Jahren urkundlich erwähnt. Lübisches Stadtrecht erhielt sie 1213. Aus
dieser Zeit stammen auch die Fundamente des Rathauses und
der gotischen Marienkirche, einer der gewaltigsten Hallenkir-
chen Europas. 1942 soll sie ein Türmer vor dem Feuersturm bewahrt haben. Der Backsteinbau birgt spätgotische und barocke
Altäre, eine berühmte Orgel sowie ein riesiges bronzenes Taufbecken von 1290, von dem es heißt, dies sei das schönste Taufbecken im Ostseeraum.

Wirtschaftliche Blüte erlebte Rostock im 14. und 15. Jahrhundert. Nach dem Zweiten Weltkrieg diktierte der 1960 eröffnete
Überseehafen, den ein sechs Kilometer langer und 13 Meter tiefer Kanal mit der Ostsee verbindet, den ökonomischen Auf-
schwung. Der Hafen unterhält heute Liniendienste in alle Welt.
Neptun- und Warnow-Werft bauen Schiffe nicht nur für die
UdSSR, sondern auch für westliche Länder. Vor einigen Jahren
feierten die Rostocker den 550. Geburtstag der Uni. Besonders
stolz sind sie auf den - nach Ost-Berlin - zweitgrößten Zoo in
den neuen Bundesländern. 2200 Tiere warten dort auf Besucher. Vom Hauptbahnhof kommen Sie mit der Straßenbahnlinie
11 hin. Kein Zweifel, die wichtigste Hafenstadt der einstigen
DDR fällt mit recht freundlichen Aspekten aus dem üblichen
Rahmen. Rostock kann sich sehen lassen. Auch zu Zeiten
schlimmster Ulbricht- und Honecker-Pressionen wehte von der
See her immer ein Hauch freiheitlicher Brise durch die Straßen.
„SED und Stasi", sagte mir ein pensionierter Lehrer, „regierten
bei uns etwas milder als in Leipzig und Magdeburg."

Von Lübeck-Schlutup brauchte ich für die 125 Kilometer
eindreiviertel Stunden. Schönster Blickfang ist immer noch das
Rathaus, eine eigenartige Mixtur aus siebentürmiger Schauwand ganz oben und barockem Vorbau von 1729. Unver-
zichtbar ist ein Schaufensterbummel durch die „Krö", an Blü-
cherplatz und Uni vorbei bis zum Kröpeliner Tor, einem ver-
steinerten Wahrzeichen, in dem das Heimatmuseum Stadtgeschichte vorstellt. Im Ständehaus residierte einst die Volksar-

mee. Und bitte nicht die Buchhandlungen übersehen! Es lohnt sich, eine halbe Stunde zwischen alten Werken und neuer Literatur zu stöbern.

Natürlich, es gibt auch das andere Rostock, die wuchernden Trabantenstädte Richtung Warnemünde, das seit 1323 ein Stadtteil Rostocks ist und alle zehn Minuten S-Bahn-Anschluß hat. Anonyme Wohngebirge, steril und uniform trotz Grünflächen und Springbrunnen. Großsiedlungen auf mecklenburgischen Wiesen für 80 000 Menschen. Ihre Namen sind Rostocker Historie: Evershagen, Lichtenhagen, Lütten Klein und gleich dahinter das geduckte, verträumte Warnemünde. Gemütliche Kneipen am Alten Hafen, wo Fischerboote und weiße Ausflugsschiffe an den Pfählen zerren. Beim Bier erzählen die Rostocker von ihren Wünschen und Hoffnungen, auch von ihren Sorgen.

Mich zieht es wieder zum Patriotischen Weg, den die Nazis in Horst-Wessel-Straße umbenannt hatten. Seit Mai 1945 hat die Straße wieder ihren alten Namen. Als ich im Hause Nummer 86 die Namensschilder studiere, öffnet sich eine Tür. „Suchen Sie etwas Bestimmtes?" - Mißtrauen klingt mit, wie vier Jahrzehnte lang. Nein, ich suche nichts Bestimmtes, nur die eigene Vergangenheit.

„Zur Kogge" - Fisch und Shanties

Für See- und Sehleute aus nah und fern ist die 1856 erstmals urkundlich erwähnte Gaststätte „Zur Kogge" an der Strandstraße unweit des Rostocker Stadtzentrums ein beliebter Treff. Aus dem schlichten Ein-Zimmer-Gastraum entstand eine typische Hafenkneipe, in der Requisiten aus aller Welt zu bestaunen sind. Gemütlich sitzt man in löwenkopfverzierten Kojenbänken und kann bei einem kühlen Glas Bier die maritimen Mitbringsel der Fahrensleute wie Rettungsringe, Meerestiere oder auch Kapitänsbilder betrachten. Sehenswert ist die fast eineinhalb Meter lange Bark über der Theke, die aus der Zeit des Dreißigjährigen Krieges stammt und von einem schwedischen Kaptiän gebaut wurde. Zum Interieur der Kneipe gehören auch Schiffsglocken. Will man jene der beiden kleineren

Weite helle Sandstrände, wie hier in Warnemünde, prägen das Bild der gesamten Mecklenburgischen Ostseeküste

Glocken ertönen lassen, die von dem 1886 in der Biskaya untergegangenen Handelsschoner „Stockholm" stammen soll, muß man wissen, daß ein einmaliges Schlagen eine Decksrunde kostet. Schlägt man zweimal, ist das über eine Treppe erreichbare Oberdeck inbegriffen. Greift man mehrmals nach dem kunstvoll geflochtenen Tampen, will man alle Gäste einschließlich der Köche und Kellner zu einem Trunk einladen. Neben zahlreichen Getränken hält das Team um Rainer Ewert auch einen Happen für hungrige Gäste bereit. Wie die Speisekarte verrät, steht Fisch in zahlreichen Variationen bereit.

Da die Hafenkneipe nah und fern viele Freunde gefunden hat, die den guten Ruf durch die Lande tragen, ist es zweckmäßig, sich Plätze rechtzeitig zu reservieren. Denn vor allem abends, wenn das Schifferklavier erklingt oder Shanty-Gruppen auftreten, sind die 65 Plätze sehr begehrt. Wer sich ohne Vorbestellung in der „Kogge" mal umschauen und ein Glas leeren möchte, hat etwas später, im Winterhalbjahr, tagsüber die größte Chance. Der historisch maritime Seemannskrog ist montags bis sonntags jeweils von 10 bis 24 Uhr geöffnet. Platzreservierungen werden dort dienstags von 10 bis 12 und von 14 bis 16 sowie donnerstags von 14 bis 16 Uhr auch telefonisch unter der Nummer 34493 entgegengenommen.

Reiseziel: Rostock
Lage des Ortes: An der Ostsee

Ausgangspunkt	Entfernung in Kilometern	Durchschnittliche Fahrzeit in Stunden
Berlin	218	2,0
Dresden	444	5,0
Frankfurt a.M.	700	8,0
Hamburg	184	2,5
Hannover	341	4,5
Köln	576	6,5
München	771	8,5

Rostock-Information: *Vorwahl O 381*

Lange Straße 5, Tel. 22619, Hermann-Duncker-Platz 2, Tel. 3800.

Unterkünfte:

„Interhotel Warnow", Hermann-Duncker-Platz 4, Tel. 37381: Zimmer auf die Schnelle kaum zu haben, Vorbuchung bei Hansa-Tourist; „Interhotel Neptun" in Warnemünde, Seepromenade, Tel. 5371 und 5381, wie beim „Interhotel Warnow"; „Hotel am Hauptbahnhof" Gerhart-Hauptmann-Straße 13, Tel. 36331.

Zimmernachweis am Hauptbahnhof, Tel. 23593. Die Zimmervermittlung im Reisebüro ist montags und freitags von 9.00–16.00 Uhr, dienstags und donnerstags von 9.00–18.00 Uhr und mittwochs bis 13.00 Uhr auskunftsbereit. An jedem letzten Sonnabend im Monat kann der Service von 8.00–12.00 Uhr in Anspruch genommen werden.

Empfehlung: In Läden nachfragen, wo Besucher für eine Nacht bleiben können. Oft weiß man dort Rat, nennt Adressen. Hilfe bei Zimmersuche auch beim Gaststätten-Service, Kröpeliner Straße 30, Tel. 34603.

Zentrale Zimmerbörse Rostock, Langestr. 19

Restaurants: *Tel 0381 — 22386*

Ratskeller im Rathaus, gemütlich, aber schwierig, Plätze zu bekommen. Zu empfehlen wegen schmackhafter Speisen und großer Auswahl: „Ostsee-Gaststätte", Lange Straße (gut bürgerlich); „Haus Sonne" am Ernst-Thälmann-Platz (recht gut); Fischrestaurant „Gastmahl des Meeres", August-Bebel-Straße 112 (immer Riesenandrang, leckere Fischgerichte); „Goldbroiler", Kröpeliner Straße (einfach); „Zur Kogge", Strandstraße (beliebt, sehr zu empfehlen); „Stralsunder", Wismarsche Straße 22 (bürgerlich); „Teepott Warnemünde" (gute Auswahl); „Fischrestaurant Warnemünde", Am Strom 88.

Hochauf ragen die Kräne der Neptun-Werft im Ostseehafen von Rostock, Hamburgs schöner hanseatischer Schwester

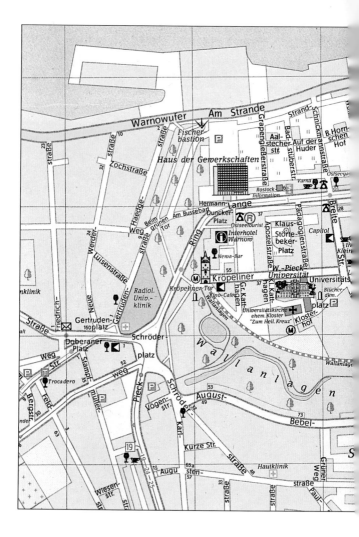

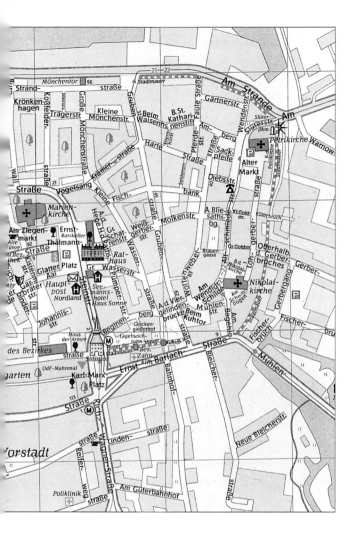

Die Bernsteinbuchten von Fischland Darß und Zingst

Ulrike Dotzer

Aus St. Marien dröhnt die Orgel. Die Sonne strahlt, und Möwen kreischen. Ein Sonntagmorgen aus dem Bilderbuch. Vom adretten Marktplatz von Ribnitz-Damgarten führen die Gassen hinunter zur Uferstraße. Am Anleger dümpeln Fischerboote. Von dort schweift der Blick auf die ruhige See des Boddens, am Horizont eingefaßt von Schilf. Bodden sind die Buchten am Südrand der Halbinsel Fischland-Darß-Zingst, die wie eine Kette von Binnenseen wirken.

Von Ribnitz-Damgarten, der kleinen freundlichen Kreisstadt, vor deren Toren einst Wallenstein stand und wo man heute stolz ist auf das Bernsteinmuseum, starten wir unsere Tour auf den Darß. Ein Ausflug, der für die Autofahrt entschädigt, die uns über Wismar und Rostock an den Fuß der Halbinsel geführt hat.

Die Zufahrt auf die schmale Landzunge Fischland zwischen Ostsee und Saaler Bodden beginnt mit einer mächtigen Allee zwischen riesigen Weiden und kleinen Wäldern. Nur einen Kilometer breit ist Fischland bei Dierhagen, dem ersten kleinen Ferienort. Bereits Anfang Mai beginnt die Saison an der Küste. Fischland, Darß und Zingst sind dann das nach Rügen beliebteste Feriengebiet Mecklenburg-Vorpommern. Allein Prerow, ein Dorf mit 1900 Einwohnern, zählte zu DDR-Zeiten 95 000 Feriengäste in den ehemaligen FDGB-Ferienheimen, charmanten, etwas baufälligen wilhelminischen Häusern. Eine Ahnung von der Sommerfrische der Jahrhundertwende weht uns an, in Prerow, Wüstrow, Zingst und Ahrenshoop.

„Hoffen und harren" heißt es bisher noch auf dem Darß. Bei ungeklärten Eigentumsverhältnissen sind die meisten der alten Gewerkschaftsheime geschlossen und im jetzigen Zustand auch kaum zu vermieten. Was man jetzt unbedingt braucht, sind Besucher aus den westlichen Bundesländern, die bereit sind, bei Unterkunft und sanitären Anlagen Abstriche zu ma-

Landidylle mit reetgedecktem Haus

Als einer der schönsten Küstenstreifen Mecklenburgs gilt Ahrenshoops Hochufer auf der Halbinsel Fischland-Darß

chen. Und die Landschaft allein schon lohnt dabei die Darß-Reise.

Der Strand zieht sich hinter dem Deich und flachen Dünen unermeßlich in die Länge, steinlos, aber nicht breit.

In Ahrenshoop, um die Jahrhundertwende eine Künstlerkolonie, ducken sich reetgedeckte Datschen hinter die Dünen. Überall Schilf. Auf der Bodden-Seite stehen vor den alten Häusern Haufen von frischgemähtem Reet, dem Baumaterial der Nehrungsküste. Bei Ahrenshoop hebt sich die Insel aus dem Meer, steil fällt die Küste ab zum Strand. In den letzten 275 Jahren verlor der Darß 150 Meter. Das Nagen des Meeres können auch Steinwälle und Landvorspülungen nicht stoppen. Der Darß: Das sind riesige alte Kiefern, vom Wind gebogen, das ist Mischwald mit ausgeschilderten Wanderwegen. Die Menschen strömen jedoch in den Wald bei Prerow, bis zur Wende Staatsforst und Jagdrevier der privilegierten Führungsschicht, wo „Otto Normalverbraucher" jahrzehntelang keinen Zutritt hatte. Auch der Darßer Ort, Nordzipfel der Halbinsel, jahrzehntelang militärisches Sperrgebiet, ist der Öffentlichkeit wieder zugänglich. Über einen Plattenweg stapfen wir vier Kilometer durch schönsten Urwald zu einem alten Backstein-Leuchtturm.

Die Sonne sinkt. Keine Zeit mehr, das Darß-Museum und die barocke Kirchenkanzel in Prerow anzuschauen, keine Zeit für die Marschlandschaft Zingst. Über eine malerische alte Drehbrücke beim Ostseebad Zingst geht's vorerst zurück aufs Festland.

Reiseziel: Fischland Darß, Zingst
Lage des Ortes: 30 km nordöstlich von Rostock
Entfernungstabelle: siehe S. 68

Wo unterkommen bei einem Ausflug am Wochenende? Rostock ist von Fischland, Darß und Zingst keine Autostunde entfernt. Unterkünfte dort: siehe S. 69.

Zu empfehlen ist in Ribnitz-Damgarten das kleine, freundliche Hotel-Restaurant „Zum Bodden" (Tel. 0037/8252364). Im hübschen Ostseebad Graal-Müritz, direkt am Fuß der Halbinsel, liegt in der Clara-Zetkin-Straße 9 zwischen Ferienheimen das neueröffnete „Parkhotel" mit Komfort. (Tel. 0037/8196 247). Privatzimmer über Gemeindeverwaltung Prerow.

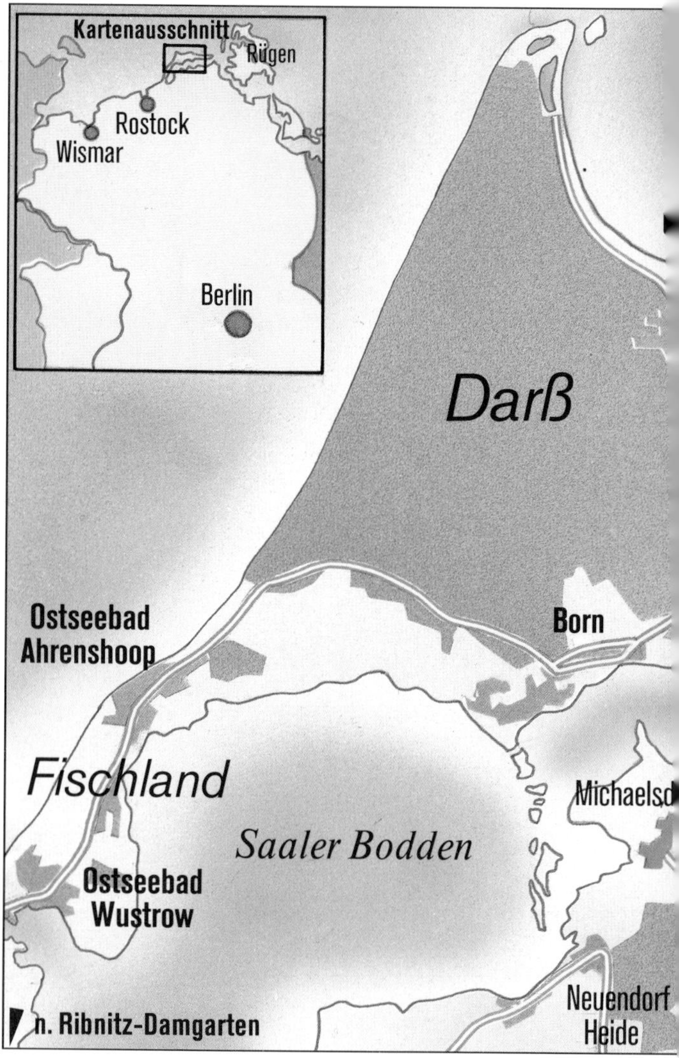

Kartenausschnitt
Rügen
Rostock
Wismar
Berlin
Darß
Ostseebad
Ahrenshoop
Born
Fischland
Saaler Bodden
Michaelsd
Ostseebad
Wustrow
Neuendorf
Heide
n. Ribnitz-Damgarten

Mittelalterliches Stralsund

Paul Th. Hoffmann

Eigentlich müsse man Stralsund als Segelflieger erleben, um diese vorpommersche Hafen- und Werftstadt (heute 75 000 Einwohner), langsam darüber hinschwebend, in ihrer vollen Schönheit zu erschauen, sie in ihrer innigen Verbindung mit der Landschaft zu erleben. Einer, der Stralsund so wahrgenommen hatte, sprach begeistert davon - „die Altstadt, umschlossen von Meer und Seen, und die Vorstädte, anmutig wie ein breiter Kranz die Seen umfassend". Dies war, ehe die Bomben des Zweiten Weltkriegs der in den Rivalitäten Pommerns, Dänemarks, Schwedens und Preußens über Jahrhunderte sich behauptenden Stadt schwere Wunden schlugen.

Ein bewegtes dichterisches Zeugnis hat Ricarda Huch (1864-1947) notiert: „Meerstadt ist Stralsund, vom Meer erzeugt, dem Meere ähnlich, auf das Meer ist sie bezogen in ihrer Erscheinung und in ihrer Geschichte."

Der Strelasund trennt Stralsund von der knapp zwei Kilometer entfernten Insel Rügen; seit 1936 verbindet der Rügendamm die Stadt (von der Frankenvorstadt aus) mit dem wohl schönsten deutschen Eiland. Der Knieperteich und der Frankenteich umgeben das alte, in seinem Kern mittelalterliche Stralsund, in dessen Silhouette, faszinierend besonders im Dämmerlicht, die mächtigen Kirchenschiffe und Türme von Sankt Nikolai, Jakobi und Marien die eigentümlichen Akzente setzen. Begünstigt durch die geschützte Lage, den Zugang zur offenen See nach Osten wie nach Westen, konnte sich Stralsund am Kreuzpunkt wichtiger Handelswege zu der nach Lübeck rühmlichsten Hansestadt im Ostseeraum entwickeln. Und es gedieh zu einem hochrangigen Beispiel deutscher Stadtbaukunst.

Thomas Kanzow, der namhafte pommersche Kanzlist, hat Stralsund am Anfang des 16. Jahrhunderts u. a. so beschrieben:

„Es ist eine sehr gut gebaute Stadt von eitel Ziegelsteinen. Die Häuser sind eins dem anderen so ähnlich und die Gassen so ordentlich und schnurgleich, daß man ihresgleichen nicht an der ganzen Ostsee findet...''

Den heutigen Betrachter stimmt es traurig: Was Jahrhunderte überdauerte, ist während der letzten Jahrzehnte aus Irrgang und Unvermögen dem Verfall preisgegeben worden. Aber angesichts der klaffenden Lücken und der schrundigen Fassaden muß man der Bereitschaft Respekt zollen, historische Besinnung tatkräftig zu beweisen und das versehrte, gleichwohl immer noch profilierte Gesicht der 1234 gegründeten, mit lübischem Recht versehenen Stadt, die 1293 Mitglied der Hanse wurde, zu retten.

Ein Streifzug durch Stralsund läßt sich sinnvoll am Alten Markt beginnen. Er ist wahrscheinlich der Ausgangspunkt der Stadtsiedlung gewesen, und urbaner Mittelpunkt ist er geworden. Beeindruckend. Ihm verleihen St. Nikolai, Kirche des Rates und der Patrizier, und daran gelehnt das Rathaus aus gleicher Zeit mit der im filigranen, transparenten Backsteinmuster unverwechselbaren Schauwand (15. Jahrhundert) einen bewundernswert harmonischen Anblick. In reizvollem Gegenüber das Wulflamhaus, an dem polnische Denkmalspfleger schon eine ganze Weile laborieren.

Die Nikolaikirche, als Hallenkirche in Backstein um 1260 vollendet und künstlerisch reich ausgestattet, wird seit 1974 restauriert und ist für Besucher geschlossen. Im Rathaus daneben geht das Leben noch im überkommenen architektonischen Rahmen seinen Gang. Die beiden parallel angeordneten Flügel bergen eine hohe Fußgängerpassage, die einstmals dem Handel diente. Die Renaissancetreppe mit dem Sandsteinportal (1579) leitet die Bürger wie ehedem in das Obergeschoß der Behörden. Bemerkenswert der Löwensche Saal, die Achtmannskammer und die Alte Wache.

Auf dem Wege zum Neuen Markt (Ossenreyer-Fußgängerstraße) fällt an der Kreuzung Böttcherstraße zur Linken der wuchtige Turm der Jakobikirche ins Auge. Es zieht einen dorthin. Aber keine der verwitterten Eichentüren läßt sich öffnen. Dieses 1303 erstmals erwähnte, im 14./15. Jahrhundert ausgestaltete, mit seinem Turm nach einem Blitzschlag (1662)

Vom Marienturm, zur Zeit gesperrt, schweift der Blick über die Dächer von Stralsund bis hinüber zur Insel Rügen

originell behelmte Gotteshaus ist seit der Bombardierung Stralsunds Ende 1944 ein marodes Gebäude. Daß es nicht zusammengesunken ist, verdankt es der Evangelischen Landeskirche Vorpommerns: Sie hatte zwar kein Geld für den Wiederaufbau aufbringen können, aber sie lagerte in St. Jakobi Baumaterialien zum Unterhalt der Kirchen in der Region ein; der Atem der Menschen, die hier arbeiteten, ist über die vielen Jahre hinweg gewiß auch ein belebendes Element gewesen. Einige hundert Schritte entfernt rumort ein Wagen und klappern Werkzeuge noch am späten Abend neben einem originellen Haus (Filterstraße). Hier wird, ein Anschlag sagt es, „in Bürgerinitiative" ein Quartier rekonstruiert: einst ein Turmhaus, das 1278 dem Stadtscharfrichter Wohnung bot.

In der Gegenrichtung gelangt man an der Mönchstraße zum Katharinenkloster (von Dominikanern um 1250 gegründet). Seit 1924 beherbergt es das Kulturhistorische Museum, seit 1951 ist es auch Domizil des favorisierten Naturkundemuseums, aus dem das in seiner Art einmalige Meeresmuseum mit einem sehenswerten Meeresaquarium hervorgegangen ist.

Das Bild des Neuen Markts, von der ideologisch bestimmten Benennung Leninplatz jüngst flink wieder auf den alten Namen gewendet, bestimmt St. Marien. Diese größte der mittelalterlichen Pfarrkirchen Stralsunds, von der Gewandschneiderkompanie in Konkurrenz zur Nikolaigemeinde gefördert, stammt in ihrer heutigen Gestalt wesentlich aus dem 15. Jahrhundert; die Barockhaube des dominierenden Turms wurde 1708 vollendet. In St. Marien wird Gottesdienst gehalten. Den Turm aber, in den hinauf es einen lockt, um über die Stadt, den Sund hinüber nach Rügen, über die Binnenwässer und rückwärts ins Land zu schauen, darf man derzeit nicht betreten. Marien-Alltagsbesucher erhalten den altmodischen eisernen Schlüssel im Büro gegenüber, neben der Ecke zum Hotel „Schleswiger Hof", das leider gar nichts mehr von seiner alten Reputation aufzuweisen hat.

Auch Heiliggeist an der lauten Wasserstraße empfängt Besucher zum Gottesdienst. Die kleine gotische Hallenkirche ist ein Überbleibsel der mittelalterlichen Anlage des bedeutenden

Barocke Westseite des Stralsunder Rathauses (15. Jahrhundert)

Heiliggeisthospitals, das Armen und Kranken Obdach bot, während des Dreißigjährigen und des Nordischen Krieges aber schwere Zerstörungen erlitt. Dagegen mutet das Johanniskloster in der Schillstraße wie in eine Idylle gebettet an. Das um 1250 von Franziskanern gegründete Kloster, in den nach der Brandkatastrophe von 1624 erhaltenen Teilen als Altersheim genutzt, hat 1964 eine Außenstelle des Stadtarchivs aufgenommen. Die kleine Johanniskirche fiel 1944 den Bomben zum Opfer; in der Mitte ihrer Überreste steht, ein Mahnmal, Ernst Barlachs „Pietà". Hier wie im Kreuzganghof und im Rosengarten fühlt man sich zum Ausruhen und Besinnen eingeladen. Die Vorhöfe mit den für Stralsund seltenen Fachwerkhäuschen haben ihren besonderen Charme behalten.

Von der um 1300 vollendeten, mit Türmen, Wehrgängen und Wiekhäusern gesicherten Stadtmauer - sie trotzte auch 1628 der Belagerung Wallensteins - vermitteln Bruchstücke und die rekonstruierte Partie zwischen Mönchstraße und Kütertor eine Vorstellung. Durch vier Landtore und sechs Wassertore ist man einstmals in die Stadt gekommen oder aus ihr heraus; nur zwei der Landtore, das Kniepertor (1304/frühes 15. Jahrhundert) und das Kütertor (1466), haben überdauert.

Das Bild architektonischer Geschlossenheit und Harmonie im Miteinander sakraler und profaner Bauwerke mit den Bürgerhäusern spiegelt Stralsunds Eigenart, der Lübecks sehr verwandt. Das Bürgerhaus mit Hof und Kemlade war dazumal Handels- und Wohnhaus in einem. Darin lagerten die diversen Waren der in dieser internationalen Zwischenhandelsmetropole zu Ansehen und Macht gelangten Kaufherren. Form und Schmuck der Giebel ihrer Häuser entsprachen dem Bedürfnis zu repräsentieren. Noch jetzt lassen ganze Straßenzüge in ihrer unverfälschten Stilvielfalt von der Gotik bis zum Barock den Betrachter staunen. Aber hinter den Fassaden krankt es schwer.

Von 1200 Häusern in der Altstadt stehen zehn Prozent leer, wahrscheinlich zweihundert sind nicht mehr zu bewahren. Mindestens vierzig Prozent der Bausubstanz sind von Grund auf sanierungsbedürftig. Unter der Erde müßte die Erneuerung eigentlich beginnen, wie Stralsunds Stadtarchitekt Karl-Heinz Mattke nachdrücklich betont. Der Leiter des Büros für Stadtplanung, der seine auf der „Vorbildwirkung großer Bauleistungen des Mittelalters" gründende Idee von „Alt und neu im Bild der Altstadt" gegen den staatlichen Dirigismus beharrlich verfochten hat, zieht bekümmert Bilanz und atmet doch gleichzeitig auf. Ihm war es immerhin gelungen, das schlimme Greifswalder Beispiel rigoroser Plattenbauweise auf historischen Arealen für Stralsund einzudämmen und die Großplattenmontage den Außenregionen der Stadt zuzulenken; nur hundert Wohnungen von jener Art sind während der jüngsten Jahre behutsam in die Baulücken gesetzt worden.

Jetzt schöpft Karl-Heinz Mattke berechtigte Hoffnungen aus dem von der Bundesrepublik geförderten Modellprojekt der Altstadtsanierung (Stralsund, Brandenburg, Weimar und Meißen), aus der Partnerschaft mit Kiel (u.a. gemeinsame Stadtsanierungs-Gesellschaft) und Anregungen aus geschichtsverwandten Städten wie Lübeck. Mut zum Handeln machen in besonderer Weise private Initiativen und ein Bürger-Elan, der noch aus der Zeit vor der stillen Revolution herrührt und den Pommernstolz stärkt.

Reiseziel: Stralsund
Lage des Ortes: 70 km nordöstlich von Rostock

Ausgangspunkt	Entfernung in Kilometern	Durchschnittliche Fahrzeit in Stunden
Berlin	287	3,5
Dresden	453	6,2
Frankfurt a.M.	779	9,0
Hamburg	263	4,0
Hannover	420	5,5
Köln	655	8,0
München	844	9,5

Unterkünfte:

Die Übernachtungsmöglichkeiten in Hotels sind immer noch beschränkt und von minderer Qualität. Empfehlenswert sind Privatquartiere in der Umgebung.

Restaurants:

Weinstube „Bacchus zum Kurhof", Knieperwall (Di–Sa 17.00–24.00 Uhr), „Ratsweinkeller", Alter Markt (Mo–So 10.00–22.00 Uhr), „Scheelehaus", Fährstraße 25 (Mo–So 11.00–24.00 Uhr), Fischrestaurant „Gastmahl des Meeres", Ossenreyerstraße 47 (Fr–Mo 11.00–15.00 Uhr und Di–Do 11.00–21.00 Uhr).

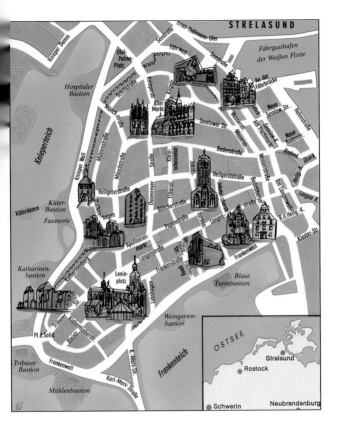

Ostseeperle Rügen

Irene Jung und Michael Schweer

Über Rügen liegt ein ganz eigenes Licht. Uns kommen die vom Wasser reflektierten Farben besonders kräftig vor. Die Kreidebrüche leuchten gelbweiß, die Backsteinkirchen rostrot; hellgrüne Grasspitzen unter dunklen Kiefern, daneben der elfenbeinfarbene Sand und das Meer in Preußischblau.

Ja, Rügen ist landschaftlich zum Träumen schön. Aber jede Ortschaft bringt auch eine Skala von Staubbraun bis HO-Bunt mit abplatzender Patina ins Farbenspiel. Das Licht stellt neben Naturschönheiten auch die ganze Abgenutztheit der alten Ferieninsel bloß. Westbesucher sollten in diesen Gegensätzen gerade den Reiz Rügens sehen. Es bleibt ihnen auch nichts anderes übrig.

Vom Rügendamm ab Stralsund fahren wir an Bergen vorbei ostwärts nach Jasmund. Ostrügen ist bewaldeter und hügeliger als der Rest der Insel. Unsere erste Station soll Saßnitz unweit der berühmten Kreidefelsen sein. Ein kleiner Ort an der Steilküste, in dem seit den fünfziger Jahren viele graue Mietshäuser gebaut wurden. Das Fischverarbeitungswerk neben dem Hafen für die Fähren nach Schweden ist außer den Kreidewerken der einzige Industriebetrieb auf Rügen.

Sanft und romantisch stimmen die Höhenzüge der Stubbenkammer, die gleich nördlich von Saßnitz beginnen. Der Königstuhl: Wohl kaum ein Felsen weckt seit Öffnung der Grenze so viele Sehnsüchte, und zu Recht. Die Kreide kann bei Sonne strahlend weiß sein, bei Regenwetter fleckig grau - eines ist sie immer, überwältigend. 120 Meter hoch ragen die Kreidefelsen über die See, unten am Strandwanderweg erscheinen die Spaziergänger klein wie Stecknadelköpfe.

Die Stubbenkammer ist Rotbuchen-Revier, Naturschutzgebiet mit seltenen Orchideenarten, mit Seeadlern, Lurchen, großem Rot- und Damwildbestand. Durch die hellbraune Blätterflut, die den milden Winter überdauerte, rauschen wir zurück nach Saßnitz und weiter nach Wittow, dem nördlichsten Inselteil.

n Sagard steht eine der ältesten Kirchen auf Rügen, turmlos und gedrungen wie Urgestein. Auf Distanz wirkt die Back-steingotik wie für die Ewigkeit geschaffen. Zerfall allerdings hat sich breitgemacht, Ausbesserungen sind nicht immer stil-gerecht, die Denkmalschützer haben längst Alarm geschlagen. Neubauten gibt's auch, aber für profanere Zwecke: Auf dem Hinterhof neben dem Pfarrhaus werden in emsiger Heimarbeit Kaninchenställe gebastelt.

Sechs Kilometer weiter leuchtet ein rotbemaltes Wallenstein-Schlößchen vor dem Jasmunder Bodden - ein Bild wie auf Bornholm. Es war Kurheim des FDGB, ist inzwischen jedoch für Touristen geöffnet und einen Abstecher wert wegen seiner Original-Stuckdecken aus der Renaissance.

Auf der außerhalb der Saison fast menschenleeren Schaabe, dem kiefernbewachsenen und oft nur wenige hundert Meter breiten Landstreifen zwischen Jasmunder Bodden und Trom-per Wiek, zelten im Sommer Zigtausende unter den Bäumen. Der weiße Sandstrand ist breit, flach und kinderfreundlich. Bei Juliusruh beginnen langgestreckte Feriensiedlungen rechts und links der Straße, zum Glück meist einstöckig; Ferienheim Hans Beimler, Ferienheim des Fotochemischen Kombinats, Ferienheim Max Reimann. Wir witzeln: Strandkorbverleih Walter Ulbricht, Badetuchwaschdienst Clara Zetkin. Inzwi-schen ist auch dies Vergangenheit. Das sozialistische Namens-Karussell dreht sich nicht mehr.

Wieder ein Gegensatz: Altenkirchen trägt seinen Namen zu Recht - Dorf und Gotteshaus gehen auf das Jahr 1200 zurück. Auf den steilen Holzstufen zur Orgelempore liegt ein Zettel. Besucher sollen sich mit lautstarken Schritten bemerkbar ma-chen, „um unnötiges Erschrecken zu vermeiden". In sich ge-kehrt übt der Organist, aber unser donnerndes Stampfen lockt ihn von seiner Bank. Ein bärtiger junger Mann, der kundig und gern Auskunft gibt. Über die Christianisierung auf Rü-gen, als am Kap Arkona noch die Tempelburg der heidnischen Slawen stand; über den Einfluß des Altenkirchner Pfarrers Gotthard Ludwig Kosegarten (Künstlername „Theobul"), der Rügen von 1792 bis 1817 als Dichter, Richter und Theologe

Caspar David Friedrich fand hier seine schönsten Motive: die bizarren
Kreidefelsen der Stubbenkammer auf Rügen

einen kulturellen Schub gab. Sein Hauslehrer, der Dichter Ernst Moritz Arndt, predigte ebenfalls in Altenkirchen.

Kosegarten begegnet uns auch in Vitt, einem Fischerdorf mit rund zwanzig reetgedeckten Katen, das sich in einer Mulde des Steilufers versteckt. Bunte Boote liegen am Strand, vermutlich für Touristenaugen. Das Dorf ist schon auf einer Liste der Vereinten Nationen als besonders denkmalschutzwürdig verzeichnet. Auf dem Hang steht eine achteckige Kapelle, die Kosegarten erbauen ließ. Leider ist die einzige Schenke, der „Gasthof zur Vitt", als wir den Ort aufsuchen, gerade geschlossen, aber der ehemalige Besitzer wohnt nebenan. So lernen wir Willi kennen. 84 Jahre alt, ein mit buchstäblich allen rügischen Gewässern gewaschener Seemann. Er weiß alles über Vitt, kennt von jedem das Schwarze unterm Fingernagel, und was er über das Dorf, die Aale und seine Hamburg-Connections erzählt, ist so bunt, daß wir daraus eine eigene Geschichte gemacht haben (siehe Seite 100).

Kap Arkona, anderthalb Kilometer nördlich: Der Leuchtturm auf dem 46 Meter hohen Felsplateau ist schwarz-rot gestreift wie ein Sträfling und erinnert uns irgendwie daran, daß die heidnischen Slawen nicht nur erfolgreiche Händler, sondern auch gefürchtete Piraten waren. Hier, an dieser wilden, windumbrausten Stelle, opferten sie ihrer vierköpfigen Gottheit Svantevit und befragten ein Orakel.

Vom mehrköpfigen Gott zu den Badeorten Binz, Sellin und Baabe. Was wir sehen, würde wohl jeden Hamburger Altbaufreak euphorisch und zugleich traurig stimmen. Eine so malerische Kollektion von Strandvillen aus der Zeit von Fontane bis Tucholsky wie in Binz gibt es nicht mal in Kühlungsborn oder Bad Doberan. Individualistische Stilspielereien mit Gips-Neptunen, Ziergittern und grün oder bunt lasierten Ziegeln. Nur eben, daß „Haus Frigga", „Haus Rotkäppchen" und „Waldperle" sozusagen nur noch im Hemd dastehen. Der Lack ist ab, die Holzteile verrotten, das Mauerwerk bröselt. Pompös verwittert gibt sich auch das ehemalige Kurhaus.

Natürlich wollen wir auch das ehemalige Gästehaus des DDR-Zentralkomitees in Baabe sehen - heute das „Cliff Hotel". An der Rezeption zeigt man uns Fotos von den feinen Appartments, in denen Prominente vor der Wende für symbolische 15 Mark Ost pro Tag logieren, in orangefarbenen Sesseln sitzen und in orange gekachelten Bädern baden durften. Das hoteleigene Schwimmbad - einziges Hallenbad auf Rügen - wurde schon umgewidmet. Das Bad steht Gästen und Schulkindern zur Verfügung.

Die kleine Dampfbahn

Schnaufend nimmt die kleine Dampflok einen der Hügel Ost-Rügens, die Rauchschleppe über dem altertümlichen Wagenzug wird eine Spur dunkler - der Heizer hat Braunkohle nachgelegt. Das Tempo sinkt, jetzt wäre es Zeit zum Blumenpflücken. Im „Rasenden Roland" kann man das, auf der Strecke zwischen Putbus und Göhren. Eine Stunde braucht das Dampfroß für 24,4 Kilometer.

Der „Roland" ist ein Fossil - ein interessantes und bedrohtes zugleich. Denn in seinem Feuerbauch rottet es. Wenn nichts geschieht, gehen die fünf Lokomotiven schnurstracks einem tristen Schicksal entgegen. Es ist abzusehen, wann keiner mehr die Garantie dafür übernehmen will, daß Lokführer und Fahrgästen nicht plötzlich mit einem lauten Knall die alte Eisenhaut des Dampfdrucksystems um die Ohren fliegt. Endstation Schrottplatz? Eine technische Überholung könnte das verhindern. Ob die kommt, weiß man bestenfalls in der Reichsbahn-Direktion Greifswald. Aber Dienstwege sind auch hier keine Schnellstraßen. Im Bahnhof Putbus wartet man vorerst noch ab.

Es wäre schade, wäre in Sachen Roland der Zug ein für allemal abgefahren. Denn die Schmalspurbahn ist nicht nur ein - noch - sehr lebendiges Zeugnis der Technik unserer Großväter, sie ist auch ein ansehnlicher Rest jüngerer Rügen-Geschichte. Als die Insel zum Ostseebad wuchs, begann man, sie um die Jahrhundertwende nach und nach mit schmalem Schienenstrang zu erschließen. In der Blütezeit war das Streckennetz 106 Kilometer lang. Der heutige Streckenrest von etwas mehr als einem Viertel der Länge lohnt sich immer noch,

Schnaufend quält sich Rügens Schmalspurbahn-Lokomotive zwischen Putbus und Göhren durch die Insellandschaft

schon wegen Putbus - einer klassizistischen Sehenswürdigkeit - und dem Seebad Göhren am anderen Ende. Das finden jedenfalls noch 700 000 Fahrgäste pro Jahr.

Von Willi, dem Aal und dem sinkenden Petrus
Die Decke in Willi Kastens Häuschen ist höchstens 1,90 Meter hoch. Für ihn reicht's dicke, selbst mit Schiffermütze. Er hockt in seiner Sofaecke wie das Dorf Vitt an der Steilküste bei Kap Arkona - gemütlich, aber sturmerprobt.
Zwölf Fischerfamilien gibt es hier nur. Alle lebten einmal vom Hering, aber nicht hinterm Mond: Für Weltläufigkeit (und Schmuggelware) zwischen Skandinavien und dem Baltikum sorgten die Ansässigen ebenso wie ihr Besuch. „Aus Hamburg kam immer Onkel August", erzählt Willi, „der brachte mit, was wir so brauchten, n' Fahrrad, Farbe oder Bretter. Geld wollte er nich. Aber Aale." Kaum wurde Onkel Augusts Kutter bei Kap Arkona gehört - „der hatte so'n komischen krummen Auspuff" -, herrschte Volksfeststimmung in Vitt. „Und die Frauen! Die waren ganz verrückt nach dem August", sagt Willi. Seine Frau sagt nichts und drückt ihren Rücken gegen den wärmenden Kachelofen. Onkel August ist lange nicht mehr dagewesen.
Denn seit Gründung der DDR war Rügen ja abgeschnitten von alten Handelsbeziehungen. Nicht der letzte Schicksalsschlag. 1963 blieben auch die Aale weg. Woran das lag? „Na, da oben" - seine schwielige Hand macht eine kreisende Bewegung nach Backbord Richtung Mecklenburg und Vorpommern - „standen bei den LPGs im Stall nicht mehr achtzig, sondern 8000 Viecher. Wohin is der Schiet wohl geflossen? Hier rein ins Meer." Jauche mochten die Aale nicht.
Willi übernahm die Dorfkneipe, und langsam wurde Vitt als Original „entdeckt". Heute sind die Häuser für die sonstigen Verhältnisse in der ehemaligen DDR tipptopp in Schuß. Die Reetdächer neu und die Pumpenschwengel gelackt, oben am Hang stehen blecherne Trabi-Garagen.
„Vitten" waren schon während der slawischen Besiedlung und der Hansezeit auf Rügen Handelsplätze für den Hering (der

Name Vitt oder Vitte kommt auf Rügen häufiger vor). Mit den Kaufleuten kamen die christlichen Prediger und lasen erste öffentliche Messen - zum Ärger der heidnischen Tempelhüter in Kap Arkona. Jahrhunderte später machte der dichtende Pfarrer Kosegarten Uferpredigten in Vitt zum aufklärerischen Naturerlebnis. Wenn sich im August „der Hering spüren ließ", versammelten sich Fischer und Pfarrer am Ufer, von der „ringsumher ausgebreiteten Unermeßlichkeit des weiten Himmels und des offenen Meeres zu tiefer Rührung und ehrfurchtsvoller Andacht" eingestimmt.

Ähnliches mag Caspar David Friedrich hier empfunden haben, denn seine Ansichten von Kap Arkona malte er in Vitt. Auf Kosegartens Anregung machte er 1805 einen Entwurf für die Kapelle. Und sein Kollege Philipp Otto Runge schuf für den Innenraum das Ölgemälde „Der sinkende Petrus". Vitt blieb nur eine Kopie. Das Original schenkte Runges Frau Pauline 1872 der Hamburger Kunsthalle, wo es heute im Magazin hängt. Aus Platzgründen, wie es heißt.

Reiseziel: Rügen (Ort: Bergen)
Lage des Ortes: An der Ostsee

Ausgangspunkt	Entfernung in Kilometern	Durchschnittliche Fahrzeit in Stunden
Berlin	311	4,0
Dresden	541	7,0
Frankfurt a.M.	798	10,0
Hamburg	282	4,5
Hannover	439	6,5
Köln	674	8,5
München	869	10,5

Rügen-Information:

Im Alten Kurhaus in Binz. Telefonische Auskunft: über Fern-
amt Rügen, Tel. 21 11.

Unterkünfte:

Zu erfragen über die „Abteilung Touristik" beim Rat des
Kreises Rügen in Bergen, Billrothstraße 5. Außerdem: „Rü-
gen-Hotel" in Saßnitz, Seestraße 1, und „Travel-Hotel Bern-
stein" in Prerow. Empfehlenswerter und preiswerter: viele
Privatquartiere. Cliff-Hotel, 02356 Sellin, Siedlung am Wald
22, Tel. 555, 360 Betten, alle Zimmer mit Dusche/Bad, WC,
Freizeiteinrichtungen (Sauna, Kegeln, Spielraum), sehr gute
Küche.

Restaurants:

Gaststätten und Imbiß-Restaurants sind inzwischen überall
verhältnismäßig reichlich vorhanden.
Besonders empfehlenswert: Strandhotel Baabe in Baabe auf
der Halbinsel Mönchgut; Kurhaus Blinz, 02337 Blinz, Strandpromenade 27, Tel. 315 84; Restaurant Nordperd, 02345
Göhren, Nordperdstraße 11; Jägerhütte, 02352 Putbus, Im
Park, Tel. 510.

Fahrplan „Rasender Roland":

Täglich ab Putbus: 4.50, 7.15, 8.15, 10.28, 13.09, 18.33 und
22.00 Uhr.

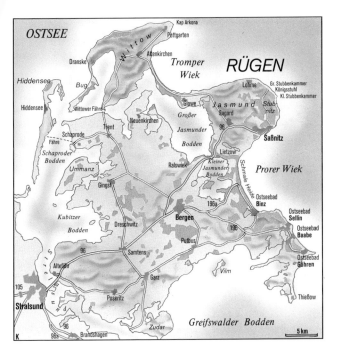

Putbus - das Glanzstück der Bauerninsel

Irene Jung

Rügen, das heißt: geduckte Reetdächer, gemütvolle Backsteinkirchen, blaue Bodden und viel Hering. Aber da gibt es ein
ganz aus der Art geschlagenes Fleckchen: die kleine Stadt Putbus im Süden von Altrügen. Ihre Geschichte zeigt, wie die alte
Bauerninsel zu einem architektonischen Kleinod und ein ehr-
geiziger schwedischer Kammerherr zu einer Residenz kam.
Seit dem 13. Jahrhundert war Pod-boz (das im Slawischen so
viel heißt wie „Hinterm Holunderbusch") ein Burg- und
Marktflecken gewesen. 1807, als Rügen noch zu Schweden
gehörte, verlieh König Gustav IV. Adolf seinem Kammer-
herrn Wilhelm Malte zu Putbus (1783–1854) das Fürstendi-
plom. Der hatte in Stralsund und Göttingen studiert, liebte die
schönen Künste und ließ am 20. Oktober 1808 in der „Stral-
sundischen Zeitung" einen Aufruf veröffentlichen: „Hand-
werkern, Tagelöhnern und anderen" bot er in Putbus „Haus-
plätze unter annehmlichen Bedingungen" an. Jedoch werde
„nur mit solchen Personen unterhandelt, die hinlängliche Be-
weise eines ordentlichen und stillen Betragens beybringen
können".
Davon fühlte sich allerdings kein einziger Interessent ange-
sprochen, schreibt Wolfgang Rudolph in seinem Buch „Die
Insel Rügen". Erst 1810, als sich genug Ansiedlungswillige
gefunden hatten, gründete der Fürst seine Residenzstadt. Sein
Traum: Sie sollte ein mondäner Badeort werden nach dem
Vorbild von Bad Doberan und Heiligendamm, eine am Reiß-
brett entworfene Stadt mit Schloß, Theater, Badehaus, höherer
Schule und Villen im einheitlich klassizistischen Stil.
Wilhelm Malte erließ genaue Vorschriften: Die Einwohner
mußten jedes Jahr ihre weißen Fassaden putzen und die Vor-
gärten mit grünen Staketenzäunen einfrieden, als Bepflanzung
waren Rosen erwünscht, Schweineställe mußten verdeckt werden. Übrigens war Juden der Zuzug ganz verboten, berichtet
Chronist Rudolph.

Der „Sterbende Gallier" vor der Orangerie (1853) in Putbus

Heute leben 5700 Einwohner in 17 Ortsteilen. Jedes Jahr kommen 48 000 Sommerurlauber nach Putbus und in seinen kleinen Hafen Lauterbach am Greifswalder Bodden. Aber die wichtigsten Bestandteile des geschlossenen Erscheinungsbildes sind erhalten geblieben.

Als erstes Repräsentationsgebäude entstand 1818 an der Straße nach Lauterbach das Badehaus. Den Namen Friedrich-Wilhelm-Bad erhielt es vom preußischen König und seine herrliche Front mit 18 dorischen Säulen vom Architekten Karl Friedrich Schinkel. Für die reichen Logiergäste gab es einen riesigen Speisesaal und zehn Badezellen. Aus den berühmten italienischen Brüchen von Carrara ließ der Fürst Marmor herbeischaffen und daraus zwei große Badewannen für warme Meerwasserbäder arbeiten. Das Badehaus ist recht gut erhalten: Seit 1958 heißt es „Haus Goor" und war Ferienheim des Bandstahlkombinats „Hermann Matern" in Eisenhüttenstadt.

Mittelpunkt der Stadtanlage ist der Circus, eine Ringstraße, an der zwei- bis dreistöckige Villen stehen. Sie umranden einen runden Platz mit acht Wegen, die sternförmig auf einen Obelisk im Zentrum zulaufen. Er gemahnt an den Stadtgründer Wilhelm Malte, und in dessen Tradition heißt der Platz jetzt wieder Circus, nachdem er viele Jahre lang Ernst-Thälmann-Platz geheißen hat.

So war die Welt in Ordnung gewesen für die SED-Spitze, die Putbus recht gut kannte: Auf der Fahrt zum Hafen Lauterbach, von wo aus die Herren Ulbricht, Honecker und Mielke nach Vilm übersetzten, kam der Troß der Staatskarossen zwangsläufig auf der linken Seite des Circus vorbei. Dort sind die Häuserfassaden getüncht. Auf der rechten Seite blättert der Putz ab. Imposantestes Haus ist das „Pädagogium", im vorigen Jahrhundert eine Bildungsstätte für höhere Söhne und heute ein Internat für hörgeschädigte Kinder.

Das Residenztheater von 1821 liegt ein paar Schritte entfernt am alten Markt von Putbus und hat eine durchaus bewegte Geschichte. Höhen und Tiefen beschrieb Gerhart Hauptmann in seinem Roman „Im Wirbel der Berufung". Der hübsche Antik-Fries über dem Dreierportal verheißt Musikszenen, aber gegeben wurden auch Theaterskandale: 1879 zum Beispiel brachte der damalige Direktor - in sicherer Entfernung von Berlin - beliebte zeitgenössische Stücke unter anderen, auch seinem eigenen, Namen heraus. Nach einem Prozeß verließ er die Stadt unter Beschimpfungen und nach Rückzahlung stattlicher Tantiemen.

Das Putbuser Schloß, umgebaut vom Architekten Schinkel, fiel 1962 nach stetigem Verfall der Abrißbirne zum Opfer. Der Park ringsum aber gilt heute als einer der schönsten Norddeutschlands - ein Muß für Putbus-Besucher. Aus einem ursprünglich barocken Lustgarten hatte Fürst Malte ihn auf 75 Hektar im englischen Landschaftsstil neu gestalten lassen. Neben wunderschönen Alleen wurden Hunderte exotischer Pflanzen- und Baumarten angepflanzt, darunter der 30 Meter hohe Gingko, Riesenmammutbäume, Zedern und Chinesischer Blauregen. An der Straße nach Garz begrenzt den Park ein acht Hektar großes Wildgehege mit Rothirschen und Damwild.

Auf der Nordseite des Parks steht die Orangerie, die 1853 von dem Berliner Architekten Stüler ihre heutige Form erhielt. Hinter den Rundbogenfenstern lagen früher die Gewächshäuser, heute werden hier Ausstellungen gezeigt. Von der Orangerie aus gibt eine Lücke im Rhododendron den Blick auf den Park und die Skulptur eines „Sterbenden Galliers" frei.

Im ehemaligen fürstlichen Gartenhaus kann man heute Kaffee trinken, den Blick auf den Rosengarten genießen und sich vorstellen, wie Bismarck eben hier seine Bundesverfassung entwarf. Nicht der schlechteste Platz zum Ausruhen und Wirkenlassen in dieser Zeit der Verfassungsentwürfe.

Reiseziel: Putbus
Lage des Ortes: 10 km südlich von Bergen
Entfernungstabelle: siehe S. 101

Der „Circus" von Putbus, eine ringförmige Parkanlage mit sternförmig auf einen
Obelisk im Zentrum zulaufenden Wegen

Unberührtes Hiddensee

Ulrike Dotzer

Mit Schwung geht der Minidampfer längsseits, mit Schwung stürmt die an Land wartende Menge zum Anleger. Und dann geht der Kampf auf dem Kai los. Der kennt keine Gnade, selbst vor wartenden Kindern nicht. Schieben, Drängeln, Püffe. Für kleine Menschen wird die Luft knapp. Keinen Zoll weichen die vielen Touristen, wenn es darum geht, einen Platz auf dem Dampfer nach Hiddensee zu ergattern. Bisher nur einmal am Tag geht die Fahrt vom Anleger „Wittorfer Fähre" auf Rügen Richtung Hiddensee - egal, wie viele Menschen hinüber möchten.

Achtzig Personen bietet die „Altefähr" Platz, und mit 130 Menschen an Bord geht die Fahrt von Wittow auf Rügen los. Zuletzt haben wir noch einen Stehplatz an Deck ergattert - zwischen Milchflaschen, Kinderwagen und Packpaketen. Nach Hiddensee reist man besser vom Festland an, von Stralsund. Von dort starten die größeren Ausflugsschiffe der „Weißen Flotte" nach Neuendorf, Vitte und Kloster.

Diese drei Dörfchen und ihre Insel belohnen jede noch so unbequeme Anreise. Alle drei liegen an der Bodden-Seite, und eines ist schöner als das andere. In Vitte, dem größten Ort, gibt es einen Fahrradverleih. Dort anzustehen macht trotz langer Wartezeiten Sinn. Die 18 Kilometer lange Insel (nirgends breiter als zwei Kilometer) kann nämlich nur zu Fuß oder mit dem Fahrrad erkundet werden. In diesem Paradies fahren nur die freiwillige Feuerwehr, die hier mehrere Ortsgruppen und einen grandiosen Oldtimer hat, das Postauto, der Schulbus und wenige Lastwagen. Statt der Autoabgase atmen die 1200 Hiddenseer den Duft von Tang, Meer und Muscheln; statt Straßenlärm hören sie die Lerchen, die über den kurzgeschorenen Weiden schwirren, und das Rauschen des Meeres, dessen Wellen sich unablässig an den weißen Strand hinter den Dünen werfen.

Die Besucher können wie auf der Hallig mit Pferdewagen her-

...mkutschieren. So mancher Hiddenseer verdient sich damit
...in Zubrot. Wo kaum Autos sind, gibt's nur eine Straße. Das
...Fischerdörfchen Neuendorf steht buchstäblich auf der grünen
Wiese, schon deshalb lohnt ein Besuch mit dem Rad (fünf Kilometer von Vitte). Umgeben von kleinen Gärtchen blitzen die
weißgekalkten, reetgedeckten Häuser in der Sonne. Das malerische „Hotel am Meer" ist Jahr für Jahr ausgebucht. Man hat
hier Stammgäste, das Hotel hat gerade acht Zimmer - und eine
appetitliche Gastronomie. Bei Krauses gegenüber wächst der
Ginster hinterm Zaun. Sie vermieten Zimmer mit Waschgele-
genheit und Plumpsklo draußen vor der Tür. Wasser ist hier
rar. Es gibt zwar ein kleines Wasserwerk, das liefert aber nur
genug Wasser für die Sanitäranlagen der Insulaner, nicht genug für die Sommergäste.

Die kommen seit Ende des letzten Jahrhunderts auf die Insel.
Damals hatte sich der Stralsunder Schauspieler Alexander Et-
tenburg in das Eiland verliebt und kräftig die Werbetrommel
gerührt. Die Boheme kam - und später auch Gerhart Hauptmann. Er war der berühmteste Gast, den Hiddensee regelmäßig sah. 1930 erwarb er die Villa Seedorn in Kloster, die heute
ein Sommermuseum zum Andenken an den Dichter beherbergt. Das Erdgeschoß ist so geblieben, wie es das Ehepaar
Hauptmann einrichtete, gediegen großbürgerlich mit Bücher-
regalen aus Mahagoni, massivem Schreibtisch und einem
großzügigen Ausblick auf die blühende Gartenanlage der Villa.

Nach seinem Tod wurde Hauptmann, der regelmäßig den
Spätsommer auf Hiddensee verbrachte und ihr zahlreiche Ge-
dichte widmete, auf die Insel überführt und auf dem kleinen
Friedhof von Kloster beigesetzt. Zu Lebzeiten hat sich Hauptmann bei den Hiddenseern übrigens nicht sonderlich beliebt
gemacht. Zwar brachte er Geld auf die Insel: Den Fisch, den
er mit dem Spazierstock aus den Fischkisten polkte, bezahlte
er genauso pünktlich wie die drei Fässer roten Landwein, die
er bereits im Winter schriftlich beim Dorfkrämer bestellte.
Aber der Dichterfürst machte keinen Hehl daraus, daß ihm
das Inselvolk reichlich piepe war. Ließ er ein Boot kommen,

Unberührtes Land rund um den Leuchtturm von Hiddensee

nit dem er nach Rügen oder Stralsund übersetzen wollte, nahm er keinen Einheimischen mit, und das verstieß gegen die Regeln des Insellebens.

Dr. Sonja Kühne, Leiterin des Hauptmann-Museums, weiß noch eine weitere Anekdote zu berichten: Einst rief Hauptmann im Dorfkrug „Heiderose" an und legte dem Wirt nahe, das Lokal sofort räumen zu lassen, weil er mit einer Gesellschaft dort ungestört einkehren wollte. Der Wirt lehnte ab, und die Einheimischen vergaßen dem Dichter der „Weber" diese Geschichte nie. „Später", erzählt Frau Kühne, „sperrten dann SED-Funktionäre oft genug manches Lokal für ihre Feste - da wehrte sich dann kein Wirt mehr dagegen."

Wer arriviert war im SED-Staat, dem ging es auch hier besser als anderen: Hiddensee mochte so autofrei sein, wie es wollte, Regisseur Felsenstein parkte ganz selbstverständlich den Wartburg in der Garage seiner 15-Zimmer-Datscha, damit Frau Felsenstein nicht zu Fuß zum Einkaufen gehen mußte. Nun, dies alles ist Geschichte. Vielleicht kann man sich darüber eines Tages im Inselmuseum informieren. Es erzählt anschaulich von Geschichte, Fischfang sowie Küsten- und Naturschutz. Das Landschaftsschutzgebiet Hiddensee hat nämlich eine einzigartige Fauna und Flora. Große Teile sind Naturschutzgebiet. Die vom Aussterben bedrohte Zwergseeschwalbe brütet hier; auf dem Dornbusch, der Erhebung an der Nordseite, wo die Küste steil ins Meer fällt, wachsen Bayerischer Enzian, Wiesenerdbeeren und Primeln, ganz zu schweigen vom Dickicht des Sanddorns. In mancherlei Hinsicht ist Hiddensee ein Kleinod. Eines, das den touristischen Ansturm der Zukunft hoffentlich überlebt.

Reiseziel: Hiddensee
Lage des Ortes: nördlich von Stralsund
Entfernungstabelle: siehe S. 89

Auf Hiddensee, hier eine Ansicht vom Schilfufer des Boddens, lebte der schlesische Dichter Gerhart Hauptmann

Unterkünfte:

In Hiddensee empfiehlt es sich, den Besuch bereits eine Saison im voraus zu buchen. Die Zimmer sind „noch" ohne rechten Komfort.

Restaurants:

Die Gastronomie ist noch mager, es gibt aber zahlreiche Imbißstände. Adressen: „Strandcafé" in Vitte; „Hotel am Meer" in Neuendorf und „Inselbar" in Kloster.

Fährverbindungen:

Zwischen Stralsund und Hiddensee verkehren Linienschiffe. Start in Stralsund ist täglich siebenmal: Um 7.00, 8.00, 9.15, 14.00, 14.15, 18.00 und 18.05 Uhr. Kartenverkauf vormittags am Hafen. Fahrtzeit: zwei- bis zweieinhalb Stunden. Es ist möglich, am selben Tag zurückzukommen. Achtung: Nicht jede Fähre läuft alle drei Häfen an.

Museen:

Das Inselmuseum und das Hauptmann-Museum sind täglich geöffnet.

Fahrradverleih:

Räder kann man für drei Mark pro Tag bei Herrn Müller in Vitte leihen. Allerdings wird jedem Entleiher ein Vertrag ausgefertigt. Wartezeiten!

Kutschfahrten:

Bieten Schumachers im Süderende (Vitte) an.

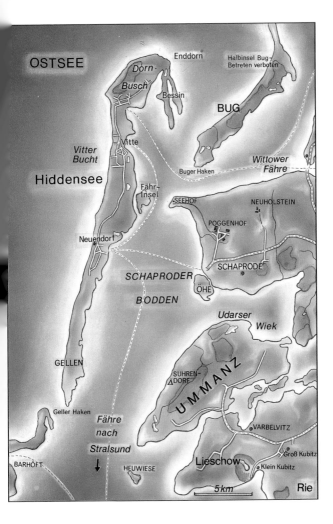

Viel Natur auf Usedom

Paul Th. Hoffmann

In die neugierige Erwartung mischte sich einige Beklommenheit: Wiedersehen mit Usedom nach fünfzig Jahren. Wie wird die Erinnerung an helle Julitage im Kriegssommer 1940 zur Wirklichkeit von 1991 passen? Wie wird die nach Rügen zweitgrößte und mit Rügen um den ersten Schönheitsrang buhlende deutsche Insel aussehen? - Vielleicht war es gar nicht mein Unvermögen, ein Auto zu fahren, daß ich die Eisenbahn wählte, um ans schon länger gewünschte Ziel zu gelangen. Wahrscheinlich habe ich die Umständlichkeiten zur allmählichen Einstimmung gewollt, den Schienenweg mit Umsteigen in Schwerin und Rostock.

Der nächstbeste Anschluß in Rostock war ein über Stralsund und Greifswald nach Pasewalk fahrender Bummelzug. Von Züssow wußte ich zuvor außer dem Namen nichts; hier muß man beinahe wie auf freiem Feld hinüberwechseln in die Bahn, die einen nach Wolgast bringt. Das am Peenestrom malerisch gelegene, von der mächtigen Petrikirche überragte Städtchen, aus dem der mit Hamburg verbundene berühmte Maler der Romantik Philipp Otto Runge stammt (Geburtshaus nahe dem Hafen): Es ist jetzt die Usedom-Kreisstadt, die mit ihrer in diesen Tage allerdings kaum betriebenen Werft Bedeutung gewann.

Über die 1950 als „Brücke der Freundschaft" eingeweihte Peene-Brücke kommt man auf die Insel. Die Hauptautostraße, gut in Schuß, führt nach Ahlbeck; sie geht weiter über die ganz nahe polnische Grenze ins heute Swinoujście heißende Swinemünde. Eine Autobrücke südlich über Anklam und Murchin bietet die Zufahrt zur Insel. Die Eisenbahnbrücke bei Karnin, während der letzten Kriegstage gesprengt und nun wiederzuerrichten, hat früher die Berliner in die Sommerfrische geführt; Usedom war so etwas wie ihre Hausinsel geworden, von Zinnowitz sprach man als der „Badewanne Berlins". Von Wolgast bringen einen Busse günstig und (noch) billig

ber die Insel. Die Inselbahn tuckert vom Bahnhof Wolgast-
Fähre gemütlich über das zunächst karge (Heide und Kiefern),
darauf von Wiesen, hügeligen Feldern und prachtvollen Laub-
wäldern durchzogene Eiland: Trassenheide, Zinnowitz, Kose-
row, Kölpinsee, Ückeritz, Schmollensee und die drei seit Kaisers Zeiten mit dem Beiwort Seebad dekorierten Orte Bansin,
Heringsdorf und Ahlbeck. Schon die flüchtigen Blicke aus
dem Abteilfenster machen deutlich, in welch einem Maße die
vom Festland durch die Peene und das Oderhaff getrennte,
durch die Swine von Wollin geschiedene Insel Usedom vom
Wasser geprägt ist. Nach Nordosten die Ostseeküste der Pom-
merschen Bucht, im Südwesten das Achterwasser, eine haffar-
tige Peene-Ausbuchtung, und über die Insel gestreut eine Fülle
von Seen, die ich bei einer Tour mit dem Fahrrad (im Hotel
gemietet) in Richtung Städtchen Usedom (Wahrzeichen: An-
klamer Tor, 14. Jahrhundert) von neuem entdeckt und ange-
staunt habe. Ruhe umgibt sie, Fischreiher ziehen darüber ihre
Bahn.
Die Natur scheint ihre Eigenart bewahrt zu haben, obgleich
das kranke Braun der Lärchen vom satten Grün der Buchen
absticht und obgleich der Fisch Reichtum und Qualität be-
trächtlich eingebüßt hat. Der weit sich dehnende Strand, hell
leuchtend der feinkörnige Sand, die beeindruckende Steilküste
mit dem Höhenpfad zum Langen Berg und dem von mächtigen Buchen eingehüllten Forsthaus, die Fernsicht einmal zur
Greifswalder Oie und nach Rügen, anderwärts auf die Swine-
münder Mole und den eleganten Bogen der Wolliner Inselkü-
ste, die kreischenden Möwen, die in flachem Flug ihre Plätze
wechselnden Schwäne: Das übersteigt an Schönheit und Reiz
gar die Erinnerung. Dazu im Hinterland die Einsamkeit etwa
in Grenznähe und am Oderhaff oder die Beschaulichkeit im
Lieper Winkel.
Bansin, Heringsdorf - der älteste (1823) und dazumal nobelste
der Badeorte - und Ahlbeck verbindet unverändert die Strandpromenade mit Villen und Pensionen, die vom einstigen
Wohlstand zeugen. Spaziert man die zehn Kilometer in der
Abenddämmerung, findet man den Verfall gemildert; man

Kein Foto aus der Zeit der Jahrhundertwende, sondern aus dem Jahre 1990: das Strandhaus von Ahlbeck auf Usedom

könnte sich ein bißchen sentimental in die vermeintlich „gute
alte Zeit" zurückversetzt fühlen. Hier ist indes eines der größten touristischen Ballungszentren der ehemaligen DDR entstanden, in SED-Zeiten Schau- und Tummelplatz verplanten
Urlaubs in Ferienheimen der Stasi (Bansin), der Betriebe und
Organisationen. Inzwischen sind private Initiativen angelaufen, das „Erholungswesen" zu erneuern. Die Gemeinden haben „freie" Zimmervermittlungen eingerichtet, es bilden sich
Verkehrsvereine. Es herrscht viel guter Wille, aber auch manche Ratlosigkeit. Zu einer Lösung der täglich neu auftauchen-
den Probleme reicht es noch nicht.

Der erwartete Ansturm der „Wessis" ist zunächst ausgeblie-
ben; das gibt Luft, die gröbsten Mängel ein wenig zu beheben.
Bei aller Versuchung: Usedom soll nicht verhökert werden,
„sanfter Tourismus" ist das Leitmotiv.

Reiseziel: Usedom (Ort: Wolgast)
Lage des Ortes: 100 km nordöstlich von Neubrandenburg

Ausgangspunkt	Entfernung in Kilometern	Durchschnittliche Fahrzeit in Stunden
Berlin	224	3,5
Dresden	400	5,5
Frankfurt a.M.	814	10,0
Hamburg	283	5,0
Hannover	438	6,5
Köln	694	9,0
München	830	10,5

Restaurants:

Besonders empfehlenswert: Restaurant Waldeck, 02252 Ahl-
beck, Dünenstraße 3, Tel. 84 86; Strandhotel Bansin, 02253
Bansin; Strandidyll, 02255 Heringsdorf, Dehlbrückstraße 10;
Waterblick, 02224 Loddin, Am Mühlenberg 5.

Allee mit altem Baumbestand bei Mellenthin auf Usedom

Keine Mangelware: Strandkörbe und erfrischende „Drinks"

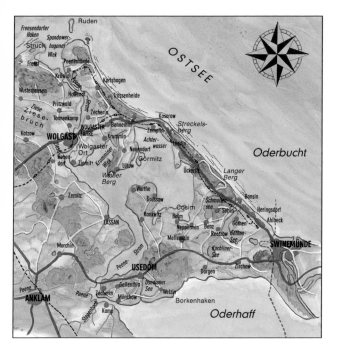

Von Ueckermünde zur Neustrelitzer Seenplatte

Egbert A. Hoffmann

Ein Tag in Ueckermünde, ein Tag bei Freunden. Frische See-
brise streicht durch die alten Gassen der Hafenstadt. Ueckermünde war die nordöstlichste Stadt der DDR. Einige Kilometer weiter fängt Polen an. Mit dieser Grenze müssen die
11 300 Bewohner leben - auch mit der Tatsache, daß ihre
Kreisstadt nicht mehr, wie bis 1945, am Stettiner Haff liegt.
Ist das Haff ausgetrocknet?
Keineswegs. Nach Kriegsende okkupierten die Polen - übrigens gegen massiven Protest von Walter Ulbricht - die Groß-
stadt Stettin und tauften sie in Szczecin um. Damit war der
Name „Stettin" für deutsche Kommunisten gestorben. Deshalb killten sie auch den traditionellen Namen des Haffs und
nannten es unverbindlich „Oderhaff". Was die Polen indes
nicht daran hinderte, das Haff ganz offiziell auf allen Landkar-
ten „Zalew Szczecinski" zu nennen, also Stettiner Haff, nur
eben auf polnisch. Kompliziert, nicht wahr?
Nachmittags brechen wir in Ueckermünde auf. Tellerplatte
Wiesen der Oderniederung, die von der deutsch-polnischen
Grenze willkürlich zerteilt wird. In Torgelow überqueren wir
die Uecker. Zwanzig Minuten später sind wir im vorpommer-
schen Pasewalk, vor 45 Jahren größtenteils zerstört wie auch
das uckermärkische Prenzlau, das nur zu 15 Prozent unver-
sehrt blieb. Die Erde ist blutgetränkt - die letzte Schlacht des
Zweiten Weltkriegs.
Dreißig Kilometer westlich: liebliche Hügellandschaft bei
Feldberg, Kleinstadtidyll mit 750jähriger Geschichte. Rings
herum viel Wasser, darunter der Schmale Luzin, ein fjordarti-
ger Rinnensee, und der Breite Luzin, mit 59 Metern tiefster
See Mecklenburgs. Ein Feriengebiet, das immer noch als Ge-
heimtip gilt. 1945 setzten die Russen Hans Fallada als Bürgermeister ein. Das Arbeitszimmer des Dichters („Wer einmal
aus dem Blechnapf frißt") mit Fallada-Archiv ist heute zu besichtigen.

15 Autominuten südlich sind wir im altertümlichen Waldstädtchen Lychen, beliebter Luftkurort für Naturfreunde, „Märkisches Interlaken" genannt, trotz Abgeschiedenheit 1945 weitgehend niedergebrannt - wie Neubrandenburg und Malchin. Ganz in der Nähe liegt die Templiner Seenplatte und das größte geschlossene Waldgebiet der einstigen DDR, die Schorfheide. Dann Neustrelitz, mit 27 000 Einwohnern zweitgrößte Stadt im früheren Bezirk. Hier beginnt das ausgedehnteste Seengebiet der neuen Bundesländer - bis Mirow, Fürstenberg und Rheinsberg. Neustrelitz, „nur" 250 Jahre alt, war bis 1918 Residenz des Großherzogtums Mecklenburg-Strelitz. Systematische Stadtplanung läßt sich an den sternförmig vom Markt abzweigenden acht Straßen ablesen. Das spätbarocke Schloß und das benachbarte Theater brannten beim Einmarsch 1945 ab, aber neugotische Schloßkirche, Orangerie (soeben renoviert) und manch schönes Palais blieben erhalten. Auch das Theater entstand nach dem Vorbild des Littmann-Baus von 1928 neu und wurde 1954 wiedereröffnet.

Auf dem Markt steht neben dem kantigen Turm der barocken Marktkirche ein protziges Siegesdenkmal der Russen mit markigem Stalinspruch in vergoldeten, kyrillischen Lettern. Einige Sowjetsoldaten säubern den Sockel. Wir fragen einen auf Russisch, ob es ihm in Neustrelitz gefalle. Er schüttelt den Kopf. Am schönsten sei es doch „doma", also zu Hause. Wen wundert's?

Wer nach Neustrelitz nicht sein Boot mitbringt, ist selber schuld. Natürlich kann man Ruderboote mieten. Aber auf eigenem Kiel macht's doch mehr Spaß. Wasserwanderer können sich ihren Kurs auf 300 Seen, die ein Labyrinth schmaler Kanäle verbindet, selbst erpaddeln. Schleusen regeln unterschiedliche Wasserstände. Kanuten sind oft wochenlang unterwegs, bis zur Oder oder bis zur Müritz, sogar bis nach Berlin und Hamburg.

Wasser, Wald, Wiesen, Wolken - dieser zauberhafte Vierklang einer stillen Landschaft lockt Sommer für Sommer Zehntausende von Erholungsuchenden ins Seenparadies des östlichen Mecklenburg. Hier - im Dambecker See - hat die

Havel ihre Quelle. Sie windet sich 343 Kilometer weit durch die Gegend und ist immer noch sehr fischreich. Da sie von der Quelle bis zur Mündung in die Elbe bei Havelberg nur 39 Meter Gefälle hat, gilt sie in Paddlerkreisen als ungemein angenehmes Gewässer.

Vor ein paar Jahren schipperten wir mit Freunden und ein paar PS am Heck durch diese wohl reizvollste Seenplatte weit und breit. In Neustrelitz warfen wir das Maschinchen an, tuckerten vom Zierker See durch den Kammerkanal in den Woblitzsee, dem sich bei Groß Quassow auch die Havel mit klarem Wasser beimengt. Das Städtchen Wesenberg blieb an Steuerbord zurück. Übernachtung irgendwo am Ufer in einer winzigen Holzdatscha. Anderntags folgten wir der Havel, die sich alle paar Kilometer zu schilfumsäumten Seen aufstaut. Zwischendurch immer wieder Schleusen und schmale Kanäle, vor über hundert Jahren zum Holzflößen angelegt.

Einige Nebenseen sind für Boote tabu, damit das schnatternde Wassergetier seine Ruhe hat. Am Ellbogensee mußten wir uns entscheiden - links ging's auf der Havel nach Fürstenberg, rechts durch weitere zehn Seen nach Rheinsberg. Wir waren für rechts.

Rheinsberg, idyllisches Städtchen und Kurort im Kreis Neuruppin, ist schon Mark Brandenburg. Die Weiße Flotte legt zu weiten Ausflügen in umliegende Orte ab, gelegentlich bis nach Fürstenberg und Neustrelitz oder bis zur Müritz, dem größten See Mecklenburgs. Friedrich II. lebte in Rheinsberg von 1732 bis 1736 als Oberst seines Regiments „Kronprinz". Das Wasserschloß am Grienericksee, ein Werk von Kemmeter und Knobelsdorff, machte Kurt Tucholsky 1911 mit seinem Roman „Rheinsberg" weltberühmt.

Heute ist das Haus am See, fotogene Mixtur aus Renaissance und Spätbarock, Sanatorium für Diabetiker. Deshalb kann es nicht besichtigt werden. Im Schloßpark wandert man zwischen Steinvasen, Figuren, Grotten, Obelisken und Tempelchen - versteinerte Erinnerung an längst vergangene Zeiten. Die Gegenwart: 1966 legte sich die DDR zehn Kilometer nordöstlich ihr erstes Kernkraftwerk zu.

Kantiges Barock zeigt die Marktkirche von Neustrelitz

Szenenwechsel. Eineinhalb Autostunden nördlich wieder eine gemütliche Kleinstadt mit zwei herrlichen Stadttoren, auch an einem See. Teterow. Wer in Mecklenburg diesen Namen erwähnt, erntet stets mitleidiges Lächeln. Das liegt am Hecht, den heute ein Brunnen zum Symbol für besondere Dämlichkeit macht. Er erinnert an einstigen Fischfang der Teterower auf dem gleichnamigen See. „Een beten to veel Fische", befand einer, und man beschloß, einen besonders prächtig gewachsenen Hecht in sein Element zurückzuwerfen, um ihn später wieder einzufangen. Damit man die Stelle im See wiederfände, schnitzten die wackeren Fischer eine Kerbe in die Bootswand...

Mehr als 300 Seen erstrecken sich zwischen Neustrelitz, Fürstenberg, Mirow und Rheinsberg - die größte Seenplatte auf dem Gebiet der früheren DDR.

Reiseziel: Neustrelitz
Lage des Ortes: 30 km südlich von Neubrandenburg
Entfernungstabelle: siehe S. 137

Rheinsberg – Kurt Tucholsky hat es weltberühmt gemacht

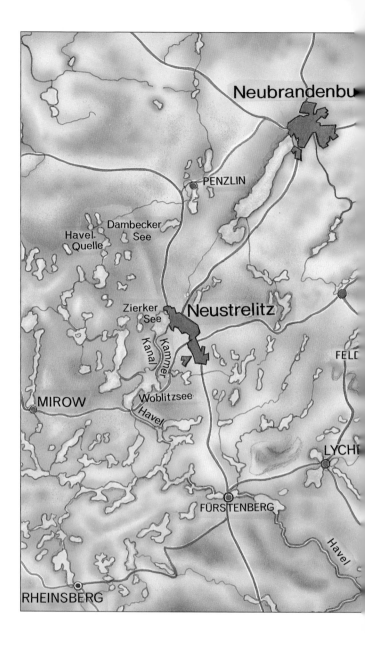

Neubrandenburg - Stadt mit vielen Gesichtern

Egbert A. Hoffmann

In der Abenddämmerung taucht Neubrandenburg auf. Aus welcher Richtung man die Stadt auch ansteuert, immer landet man auf dem Friedrich-Engels-Ring. Das ist eine vierspurige Einbahnstraße, die das gesamte Stadtzentrum umrundet. Man kurvt immer links herum, und es soll chauffierende Fremdlinge geben, die erst bei der dritten Runde merken, daß sie sich links einordnen müssen, wenn sie ins Stadtinnere wollen. Nur an drei Stellen läßt der Friedrich-Engels-Ring Linksabweichler zu. Kein Wunder, daß im Zentrum kaum Trabi-Mief zu erschnüffeln ist.

Neubrandenburg hat sich eingemauert. Nicht erst unter Ulbricht oder Honecker, sondern schon vor Jahrhunderten, als Kriegführende noch mit scharfen Säbeln aufeinander losgingen. Um 1300 begannen wehrbare Bürger damit, hinter wassergefüllten Gräben dicke Feldsteine zur Stadtmauer aufzuschichten, sieben Meter hoch und 2300 Meter lang. An vier Zufahrtswegen entstanden stolze Stadttore. Und auf ihre Mauer pflanzten die Bürger 56 Erker, sogenannte Wiekhäuser, um anstürmende Feinde von der Seite aus in die Zange zu nehmen. Als das Schießpulver die Kriege revolutionierte, verloren die Wiekhäuser ihren Sinn - und wurden Wohnungen.

Vor und im Zweiten Weltkrieg waren wir oft in Neubrandenburg - ein mecklenburgisches Backsteinidyll, windschiefe Häuserzeilen und Katzenkopfpflaster zwischen herrlichen Toren. Damals hatte das Ackerbauer-Städtchen kaum 13 000 Bewohner. Das schreckliche Ende kam am 29. April 1945. Die Sowjetarmee stieß auf Widerstand und ließ das Kleinstadtjuwel in Flammen aufgehen. Neubrandenburg wurde zu 84 Prozent zerstört. Als wir das Städtchen 1946 besuchten, erinnerten uns die Bilder an das verwüstete Hamburg - nur noch Schneisen zwischen Trümmern. Untergegangen für alle Zeiten?

Neubrandenburg heute. Neue gesichtslose Viertel im Zen-

Das Friedländer Vortor mit Wachhaus in Neubrandenburg

trum, dazwischen wie ein Pfahl im Fleisch das 14stöckige Kulturhaus mit Mokkastube ganz oben. In der wiederaufgebauten Marienkirche entsteht ein Konzertsaal mit Kunstgalerie. Mauer und Tore wurden sorgfältig restauriert. Auch 26 rekonstruierte Wiekhäuser kleben wieder wie Schwalbennester auf der Mauer, als Café, Museen oder Wohnungen genutzt. Weitere Wiekhäuser sind in Bau. Das 742jährige Neubrandenburg ist inzwischen mit modernen Trabantenstädten und mehr als 90 000 Bewohnern, Hochschulen und viel Industrie auf mecklenburgische Wiesen ausgeufert; außerdem ist es die besterhaltene mittelalterliche Stadtbefestigung Norddeutschlands.

„Jetzt freuen wir uns auf Besucher aus der Bundesrepublik", sagt Horst Weinert, Chef der Neubrandenburg-Information. Ein agiler Mann, der sich mit seiner Frau seit Jahren für seine Stadt engagiert. Die Umgebung ist denn auch ungemein reizvoll: riesige Wälder und Hunderte von Seen, Stille und Einsamkeit. Genau das Richtige für Naturfreunde, die wandern und radfahren möchten.

Auf dem „Meer" Neubrandenburgs, dem elf Kilometer langen Tollensesee, tuckern drei Ausflugsschiffe. Am Hochufer gibt es in Usadel ein Motel mit traumhaftem Ausblick, ganzjährig geöffnet und von der Mitropa verwaltet. Zwei Kilometer westlich, im Barockschloß Hohenzieritz, starb 1810 die populäre Preußenkönigin Luise, eine Tochter des Herzogs Carl von Mecklenburg-Strelitz. Heute residiert dort die Akademie der Landwirtschaftswissenschaften. Im Schloßpark kann man den klassizistischen Luisentempel und die berühmte Rundkirche aus dem Jahr 1806 besichtigen.

Aber wo nächtigt man? Horst Weinert: „Im Bezirk haben wir fast 80 Campingplätze, davon sind bestimmt 25 mit ihren sanitären Anlagen in bestem Zustand." Er zeigt einen Prospekt mit allen Zeltplätzen. Wenn Weinert frühzeitig Wünsche erreichen, will er sich bemühen. Sogar kurzfristig, meint er, sei das möglich.

Weinerts Hinweis: „Unsere Bürger bieten für Urlauber auch Privatzimmer und Datschen an." Hier könne er ebenfalls vermitteln. Bei den wenigen Hotels sei das indes schwieriger, auch beim besten Etablissement, dem „Vier Tore" in Neubrandenburg. Kein Interhotel, aber gut geführt und mit vielseitiger Gastronomie.

Reiseziel: Neubrandenburg
Lage des Ortes: 130 km nördlich von Berlin

Ausgangspunkt	Entfernung in Kilometern	Durchschnittliche Fahrzeit in Stunden
Berlin	131	2,0
Dresden	366	4,5
Frankfurt a.M.	704	8,5
Hamburg	235	4,0
Hannover	395	5,0
Köln	646	8,0
München	718	9,0

Neubrandenburg-Information:

Ernst-Thälmann-Straße 35, Tel. 0037/9906187 oder 67370.

Unterkünfte:

„Zu den vier Toren", bestes Hotel in Neubrandenburg, Tel. 0037/9905141. Rechtzeitig anmelden!

Restaurants:

„Haus der Kultur und Bildung", Karl-Marx-Platz 1 (mit Theater-Café, Café-Galerie, Weinstube, Mokka-Bar), Tanzgaststätte „Kosmos", Treptower Straße 1.

Museen:

Historisches Bezirksmuseum mit Ur- und Frühgeschichte sowie Stadtgeschichte, Treptower Straße 38; Staatliche Kunstsammlung, Friedrich-Engels-Ring 1.

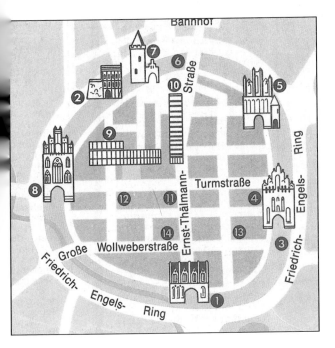

1 Stargarder Tor, 2 ehemalige Wiekhäuser rund um die Festungsmauer, 3 Gellert-Denkmal, 4 Neues Tor, 5 Friedländer Tor, Zentrum Bildende Kunst, 6 Mudder-Schulten-Brunnen, 7 Fangelturm, 8 Treptower Tor und Bezirksmuseum, 9 Kulturhaus, 10 Johanniskirche, ehemaliges Franziskanerkloster, 11 Hotel Vier Tore, 12 Puppentheater, Studio-Kino, 13 Reisebüro, 14 ehemalige Marienkirche.

Wasserparadies Müritz

Alwin Bellmann

„Aus den armseligen mecklenburgischen Dörfern ohne Elektrizität, ohne zentrale Wasserversorgung und ohne ärztliche Betreuung entstanden schöne gepflegte Dörfer mit modernen Wohnbauten. Mecklenburg hat sich aus einem rückständigen Land zu einem Gebiet mit hochentwickelter Land- und Forstwirtschaft und gern besuchtem Erholungsgebiet entwickelt." So noch nachzulesen im 1989 erschienenen Wanderatlas des Müritzgebietes der Deutschen Demokratischen Republik. Potemkin ließ grüßen.

Wobei immerhin eine Aussage des für den Atlas verantwortlichen Autoren-Kollektivs stimmt: Die Forstwirtschaft an der Müritz ist hochentwickelt, denn ganz im Gegensatz zu den LPG-Landarbeitern von Alt Schwerin, die noch bis heute wie vor hundert Jahren in verfallenen Deputats-Katen der verhaßten Gutsherren hausen müssen, durften sich Mecklenburgs Hasen, Hirsche und Rehe im ersten Arbeiter- und Bauernstaat auf deutschem Boden sorgfältigster Hege und Pflege erfreuen. Wenden wir uns also, wenn unser Auto die Schlamm- und Schlaglochschlacht auf den Dorfstraßen an der Müritz heil überstanden hat, ab von Mecklenburgs LPG-Ghettos und steuern jene Landschaft an, in der sich vor nicht allzulanger Zeit die Herren Tisch, Honecker und Mielke von Anstand zu Anstand ein fröhliches „Waidmannsheil" zuriefen. Weit spannt sich hier der Himmel über dem wohl schönsten und weitgehend in seiner Urform erhaltenen deutschen Wald- und Seengebiet. Mit beinahe 120 Quadratkilometer Fläche ist die Müritz der größte See der DDR und nach dem Bodensee zweitgrößtes Binnenmeer Deutschlands. Mit einer durchschnittlichen Wassertiefe von sechs Metern hat die Müritz von Norden nach Süden eine Ausdehnung von 29 Kilometern und mißt von Ost nach West 13 Kilometer.

Über die Eldewasserstraße ist das „Kleine Meer" (slawisch: morcse) mit dem Kölpinsee, dem Fleesensee, dem Malchower

Romantischer Winkel mit Fischerhaus an der Müritz

See, dem Petersdorfer See, dem Plauer See und der Elbe ver bunden. Da die Schleusenanlage bei Dömitz allerdings nicht mehr intakt ist, bleibt Wassersportlern aus der Bundesrepublik der direkte Weg noch versperrt. Es bleibt also zur Zeit nichts anderes übrig, als Kanu oder Kajak aufs Autodach zu schnallen und Segel- oder Motorboote auf einen Anhänger zu laden. Mit Glück findet der Wassersportler auch irgendwo eine Slip-Anlage, auf der er sein Schiff zu Wasser lassen kann. Mit dem Ankern und Anlegen ist es leichter. Hier gibt es schon Plätze, zum Beispiel in der Anlage des ehemaligen FDGB-Erholungs- und Rehabilitations-Zentrums und heutigen „Ferienhotels Klink" an der Müritz. Die Fahrgastschiffahrt ist wieder voll angelaufen, auch auf dem Plauer See. Inzwischen gibt es auch wieder Übernachtungsmöglichkeiten, im schon genannten „Ferienhotel Klink", im nahen „Schloßhotel", vor allem aber in den Privathäusern.

Das bezieht sich auch auf die Kreisstadt Waren mit ihrer aus dem 13. Jahrhundert stammenden dreischiffigen Basilika St. Georgen. Im Kreis gibt es etwa 1500 Privatbetten. Weitere 200 bis 300 zusätzliche Betten sind inzwischen zwecks Vorbereitung auf den leider bisher ausgebliebenen West-Ansturm aufgeschüttet worden. Schon deshalb ist die Bereitschaft, in den Fremdenverkehr zu investieren, noch sehr gering.

Rücksichtnahme ist in diesem Gebiet oberstes Gebot. Am wichtigsten: Autos und Campingwagen nur dort abstellen, wo es gestattet ist, Wälder und Seeuferstrecken nur auf den ausgebauten Wegen durchwandern. Die gesamte Seenplatte ist Landschaftsschutzgebiet, große Teile wurden zum Naturschutzgebiet erklärt. In den Wäldern und im Uferschilf nisten noch Graureiher, Kormorane, Kraniche, Fisch- und Seeadler, Milane und Bussarde, die Pflanzenwelt mit Kuhschelle, Orchideen, Enzianen und über zwei Meter hohen Schachtelhalmen ist einmalig im gesamten nord- und ostdeutschen Raum.

Unter Naturschutz stehen das Ostufer der Müritz, das Gebiet Großer Schwerin und Steinhorn bei Röbel, der Damerower Werder mit Schutzgebiet für eine Wisentherde, das Nordufer des Plauer Sees und einige kleinere Gebiete wie Hellgrund,

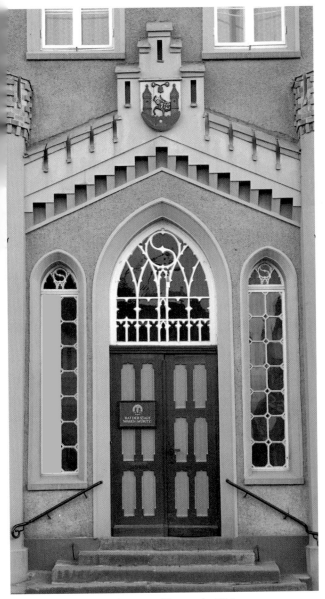

Gerichtslaube (1699) des Rathauses von Waren an der Müritz

Barschmoor, Mönchsee und das Moorgebiet bei Stuer. In diesen Gebieten ist ein Abweichen von Naturschutzpfaden und ausgebauten Wanderwegen nicht gestattet. Und die gibt es reichlich, genauso wie Radwanderwege.

Einige Beispiele: Fuß- oder Radwanderung von Waren zum Heißenstein (Großsteingrab), Wanderung von Waren zum Wisentgehege im Damerower Werder, Wanderung von Klink zum Eldekanal, Wanderung von Waren zu den als Naturdenkmal geschützten Wienpietschseen oder eine Wanderung von Röbel zum Großsteingrab Schamper Mühle. Für den Pedaltreter empfehlen sich die Tour von Röbel zur Burg Wredenhagen, die Fahrt von Röbel zur Kirchenruine bei Dambeck, eine 25-Kilometer-Tour von Malchow nach Grüssow und die Rundfahrt um den Plauer See. Ein Hinweis für Wassersportler: Auf allen großen Seen sind Motorboote zugelassen.

Abschließend noch eine Bitte: Die Erhaltung der Landschaft im Seengebiet ist eine gesamtdeutsche Aufgabe. Jeder Tourist aus den westlichen Bundesländern sollte sich dessen bewußt sein und durch rücksichtsvolles Verhalten mithelfen, daß diese einmalige Flora und Fauna nicht zerstört wird.

Reiseziel: Waren (Müritzsee)
Lage des Ortes: 130 km nordwestlich von Berlin

Ausgangspunkt	Entfernung in Kilometern	Durchschnittliche Fahrzeit in Stunden
Berlin	172	1,5
Dresden	384	4,5
Frankfurt a.M.	709	8,0
Hannover	345	4,5
Hamburg	190	3,0
Köln	601	7,0
München	723	8,0

Informationen /   :

Auskünfte, Ange. ...eine, Betten- und Camping-Vermittlung:
Fremdenverkehrsverband 02060 Waren (Müritz), Seeufer 74,
Telefon (0037) 993-41 72; Fremdenverkehrsverband 02864
Plau, Marktstraße 13. Bestellungen und Anfragen schriftlich,
telefonisch oder vor Ort.
Eine weitere Möglichkeit: Nachfragen in Geschäften nach Privatunterkünften.

Unternehmungen:

Fahrgastschiffahrt auf dem Plauer See und auf der Müritz.
Außerdem Möglichkeit für Motorboot-Gruppenfahrten (Anmeldung beim Zweckverband Waren).
Führungen durch Naturschutzgebiete: Anfragen beim Zweckverband in Waren.

Restaurants

Besonders empfehlenswert: Seehotel, Plau am See, Hermann-Niemann-Straße 6

Hotel SEMBZINER HOF
Dorfstr.   17 182 SEMBZIN (*Oberstufe*
                                         Müritzsee)
Tel. 03991 - 733202

Müritz - Hotel   17192 Klink (")

Restaurant Mühlzweig
     in   WAREN

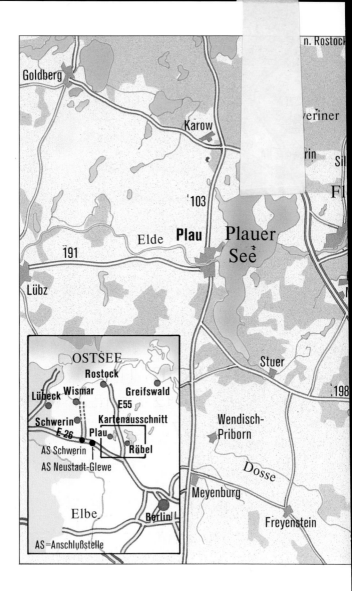

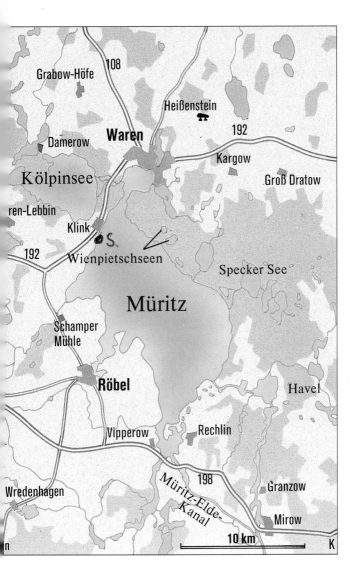

Barlachstadt Güstrow

Irene Jung

Erinnern Sie sich? Güstrow war die Stadt, in der die SED 1981 den potemkinschen Bürger erfand. Damals im Dezember besuchte Bundeskanzler Helmut Schmidt den Ort, und so, wie der russische Fürst Potemkin seiner Zarin Katharina Attrappendörfer vorführte, wurden dem westdeutschen Gast Stasi-Leute als Güstrower Bürger präsentiert. Während die wahren Einwohner in den Häusern bleiben mußten, holte sich die Stasi draußen kalte Füße, denn es begann plötzlich zu frieren, erzählt Antje Bartels. Aus ihrem sonst eher sanften Gesicht blinzelt etwas Schadenfreude.

Helmut Schmidt kam wegen Barlach nach Güstrow, und das Schloßmuseum, in dem Antje Bartels arbeitet, besichtigte er nicht. Dabei besteht der Reiz des kleinen Landstädtchens mit 37 000 Einwohnern gerade darin, daß man sich in Geschichte und Geschichten vertiefen kann. Für Kunstfreunde, zumal Hamburger, ist der Barlach-Komplex natürlich ein Muß: das Atelierhaus am Inselsee, hinter dem das Waldgebiet Heidberg zum Wandern einlädt, in der Stadt die mittelalterliche Gertrudenkapelle und schließlich, ziemlich versteckt in einer Nebenstraße, das unscheinbare Barlach-Theater. Es wirkt heruntergekommen und hat schon seit 1963 kein eigenes Ensemble mehr.

Stadtwanderer wiederum finden inmitten des hübsch restaurierten Marktplatzes die Pfarrkirche (von 1308) und zwei Straßen weiter den 764 Jahre alten Dom mit Barlachs berühmtem „schwebenden Engel". Und: das Schloß. Daß es zu den bedeutendsten Renaissancebauten Norddeutschlands gehört, verdankt es Ulrich III. von Mecklenburg und seinem italienischen Architekten Franz Parr (Francesco di Pario). Niemand kann darüber besser Geschichten erzählen als Antje Bartels. Von Süden, vom Schloßgarten aus, sieht es nach den grauen Straßenzügen hell, leicht - und doch wuchtig aus. Die ehemalige Lehrerin hat sich die Schloßhistorie sehr bildhaft erarbeitet.

Geschichte Nummer eins: Weil Ulrich mit der alten Güstro-wer Fürstenburg nicht zufrieden war, während sein älterer Bruder Herzog Johann Albrecht in Schwerin prächtig residier-te, soll er dem Burgbrand im Jahre 1503 etwas nachgeholfen haben. Dem neuen Backsteinbau verpaßte Franz Parr nun hel-len Sandsteinputz, dem Innenhof schöne Arkadengalerien, dem Turm eine Kuppel statt Spitze und den Sälen breite Fen-sterfronten. Aber das hatte Ulrich nun vom südlichen Ambien-te: Es war in Mecklenburgs Klima schwer zu beheizen. Die Winter verbrachten er und seine zweite Frau Anna von Pom-mern im Keller, erzählt Frau Bartels. Wohl deshalb schaut Anna auf dem Gemälde im Audienzsaal so grämlich drein. Es gibt viele Details zu entdecken, einen mittelalterlichen Safe, eine historische Jagdwaffensammlung.

Später durchmaß Wallenstein mit knallendem Stiefelschritt die grün-blau gefliese Empfangshalle. Und vor 150 Jahren diente das Schloß als Arbeits- und Besserungsanstalt für „Vagabun-den" und ehemalige Leibeigene, die für Kost und Schlafplatz schuften mußten (ganz ähnlich wie in der Hamburger „Allge-meinen Armenanstalt" von 1788, mit deren Hilfe die Stadtvä-ter Mittellose „von der Straße" holten und in die Textilmanu-fakturen schickten). Die Anstaltsleiter zogen Zwischendecken und Zwischenwände ein, um immerhin 616 Arme unterzu-bringen.

Deshalb soll die Schloß-Restaurierung, 1967 bis 1969, 16 Mil-lionen Mark gekostet haben. Stoff für eine weitere Bartels-Ge-schichte. Im Festsaal sitzt ein Mann in Anzug und Krawatte zu Pferd, eine Zigarette im Mundwinkel, und fängt einen Stier ein. Der Stier ist Güstrows Wappentier, und der moderne Rei-tersmann soll Rudolf Pilz sein, damals leitender Architekt der Restaurierungsarbeiten. Wer ihn zu lange betrachtet, be-kommt Genickstarre, denn Herr Rudolf ziert als Gipsfigur die Stuckdecke mit Jagd- und Kampfszenen in 36 Rahmenfeldern (1620). Der umlaufende Hirsch-Fries darunter ist sogar noch fünfzig Jahre älter.

Die aus Polen herbeigeholten Fachrestauratoren haben dieses Kleinod freigelegt und Rudolf Pilz hier verewigt. Zum Ärger

Einer der bedeutendsten Renaissancebauten Deutschlands ist das Schloß von Güstrow (16. Jahrhundert)

der damaligen örtlichen SED-Leitung, die aus dem Schloß
kein Museum, sondern ein „Kulturhaus" machen wollte und
sich lieber selbst als Bezwinger des Güstrower Stieres gesehen
hätte. Aber so hatten die Denkmalschützer den Partei-Perso-
nenkult mit dessen eigenen Mitteln geschlagen.

Davon abgesehen, bemüht sich Güstrow, seinen großen Söh-
nen gerecht zu werden (an die großen Töchter erinnert nur die
Antifaschistin Liselotte Hermann, die der Pädagogischen
Hochschule ihren Namen gab). Das Stadtmuseum, ein schönes
altes Bürgerhaus, erinnert an Händler-Wohlstand des 18. Jahrhunderts, als der Heimatdichter John Brinckman in Güstrow
lebte. Und das Kersting-Haus ist dem Maler und künstleri-
schen Leiter der Königlich-Sächsischen Porzellanmanufaktur
Meißen, Georg Friedrich Kersting, der eng befreundet war
mit Caspar David Friedrich, gewidmet.

Bei der Rückfahrt nach Schwerin lohnt sich ein Abstecher
nach Sternberg. Von der Straße 106 führt ein Fußweg durch
ein altes Stadttor direkt zur Kirche hinauf. Gleich links liegt
das Heimatmuseum mit einer Steinsammlung. Der „Sternberger Kuchen" ist keine kulinarische, sondern eine geologische
Spezialität aus dem Tertiär - Stücke einer Erdschicht, in die
viele kleine Muscheln und Meerestiere „eingebacken" sind.

Pastor Joachim Anders nebenan wollte eigentlich gerade zu
Mittag essen, aber dann führt er uns doch mit klirrendem
Schlüsselbund in die fast 670 Jahre alte Kirche. Wir bewundern
die mittelalterlichen Teppichdekor-Malereien an den Säulen und
die pneumatische alte Orgel - da fällt draußen die Sonne aus
allen Wolken und taucht die Backsteinhalle in rötlichbraunes,
warmes und doch geheimnisvolles Licht. Was steckt nun hinter den sagenhaften „blutenden Hostien von Sternberg"?

Im Jahr 1492 soll der Sternberger Jude Elieser vom Meßprie-
ster Peter Däne geweihte Hostien bekommen und sie danach
zerstochen haben, sagt Pastor Anders. Der Sage, oder genau-
er, den unter der Folter erpreßten Geständnissen der Juden
nach, begannen die Hostien zu bluten, und als Eliesers Frau
sie in einen See werfen wollte, soll sie in den Boden eingesun-
ken sein.

Gedenkstätte Ernst Barlachs in Güstrows Gertrudenkapelle

Diese hergeholte Geschichte war zu dieser Zeit Anlaß eines Pogroms, bei dem 27 Sternberger Juden verbrannt wurden, kurz nach ihnen auch der Priester. Die „blutenden Hostien" nutzte das Bistum Schwerin als Kassenmagnet. Sternberg wurde ein vielbesuchter Wallfahrtsort, für 57 Jahre. Dann traten Mecklenburgs Stände zum evangelischen Glauben über. An dieses Ereignis erinnert das Kolossalgemälde in der Eingangshalle, an die eingesunkene arme Jüdin ein Stein außen an der Wallfahrtskapelle. Es ist schon bemerkenswert, wie breit ihre Füße vor 500 Jahren in den Stein gefälscht wurden.

Wir steigen hinauf auf den Kirchturm und nehmen dabei ein bißchen Taubendreck gern in Kauf für den prachtvollen Ausblick: zu unseren Füßen die quadratisch angelegte alte Stadt Sternberg mit qualmenden Schornsteinen und bunten Trabis auf dem Marktplatz, die grüngrauen Mecklenburgischen Felder, im Norden der metallfarbene Sternberger See. Und wie zur Feierstunde schlägt vor unseren Augen die Glocke.

Reiseziel: Güstrow
Lage des Ortes: 40 km südlich von Rostock

Ausgangspunkt	Entfernung in Kilometern	Durchschnittliche Fahrzeit in Stunden
Berlin	194	2,0
Dresden	401	4,5
Frankfurt a.M.	674	7,5
Hamburg	155	2,5
Hannover	310	4,0
Köln	566	6,5
München	740	8,0

Güstrow-Information:

Gleviner Straße 33, Mo–Fr 10.00–12.00 und 13.00–16.00 Uhr

Restaurants:

„Schloßgaststätte", 11.00–24.00 Uhr außer Mo (besonders empfehlenswert), „Stadt Güstrow", 11.00–23.00 Uhr, „Ratskeller"11.00–24.00 Uhr außer Mi und Do.

Stadtmuseum:

Bürgermobiliar aus dem 18. Jahrhundert, Franz-Parr-Platz 7, 9.00–12.00 und 14.00–17.00 Uhr.

Barlach-Atelierhaus:

Am Inselsee, Bölkower Chaussee, 9.00–12.00 und 12.30–16.00 Uhr.

Schloß:

Franz-Parr-Platz, Di–So 9.00–12.00 und 13.00–17.00 Uhr.

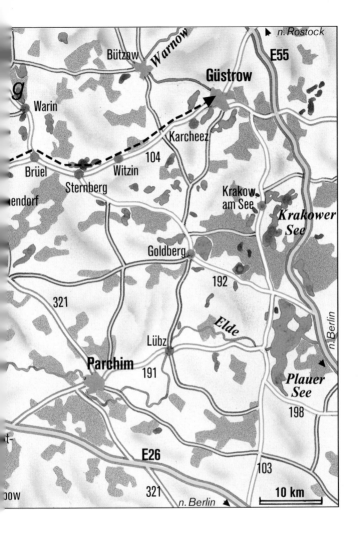

Schwerin und sein Schloß

Gertje Witte

Das Schloß fällt ins Auge. Wie eine tropische Sumpfblüte liegt es auf der Burginsel im See, zieht Touristen an wie Insektenschwärme. An sonnigen Sonntagen stürmen Busladungen das Märchenschloß. Massenabfertigung wie in Neuschwanstein. Besichtigung unter sachkundiger Führung. Daß das Schloß ein Werk mehrerer Architekten (Demmler, Semper, Stüler, Willebrand) ist, die offensichtlich verschiedene Auffassungen hatten, kann das verwirrende Bauwerk nicht leugnen. Bauherr Friedrich Franz II. stand wohl hilflos vis-à-vis.

Schloß intern

Beletage und Festetage mit Thronsaal strahlen heute in frischem Glanz. Ein Rundgang ist lohnend, erfährt man doch eine Menge über die Lebensart der besseren Stände im vorigen Jahrhundert. Und was hat das Schweriner Schloß mit dem Trabi gemeinsam? - Pappmaché! Die nachgebildeten Schnitzereien an der Decke stammen aus dem ehemaligen VEB-Pappmaché-Werk. Alle Achtung, saubere Arbeit! Es bleibt der nagende Gedanke, daß man's so genau nun auch nicht hätte wissen wollen.

Der ehemalige Tanzsaal, der nach einem Besuch des Preußenkönigs Friedrich Wilhelm IV., der ein Onkel des Großherzogs Friedrich Franz II. war, den Beinamen Königssaal erhielt, dient heute als Café. Einen Platz im Schloßcafé ergattert nur, wer den Nerv hat, sich in die Schlange der Wartenden einzureihen. Marianne, Fremdenführerin im Schloß, hat auf eine Tasse Kaffee eingeladen.

Rote Seidentapeten, Kaffeehaus-Atmosphäre mit Musikern, die sich lautstark in den Vordergrund spielen. Der Kaffee ist trinkbar - was nicht selbstverständlich ist -, die Torte üppig. Gespräch ist bei der Lautstärke kaum möglich. Was würde wohl Niklot sagen, wenn er uns so sitzen sähe. Niklot? Ja, der Slawenfürst, als halbnackter Pferdebändiger vorm Schloßtor

verewigt. Hier hatte er seine Stammburg Zuarin, was über-
setzt etwa Tierpark heißt, bis Heinrich der Löwe 1160 alles
in Schutt und Asche legte und noch im selben Jahr die Stadt
Schwerin gründete.

„Der Großherzog war hier", reißt Marianne uns aus den Ge-
danken, „er hat im Zimmer des Schloßdirektors gestanden
und gesagt, das sei sein ehemaliges Kinderzimmer." – „Will
er's wiederhaben?" Keiner weiß das so recht.

Die Attraktionen liegen in Schwerin nah beisammen: das
Schloß, gegenüber das Mecklenburgische Staatstheater, das
über die Landesgrenzen hinaus bekannt ist, rechts davon das
Museum mit einer sehenswerten Sammlung niederländischer
Malerei des 18. Jahrhunderts, die Altstadt, der Dom, der zu
den schönsten Beispielen der Backsteingotik zählt.

Rundgang Altstadt

Marianne schlägt einen Rundgang vor. Wir starten am Schloß.
Am Alten Palais, dem Fachwerkbau neben dem Theater, biegen wir in die Schloßstraße ein. Das mächtige Kollegienge-
bäude (Schloßstraße 2), das 1835 unter maßgeblicher Beteiligung des Stadtbaumeisters Georg Adolph Demmler, eines
Schinkel-Schülers, fertiggestellt wurde, zeigt deutlich Einflüs-
se des Lehrers. Schloßstraße 4/6/8 wurde 1890–1892 nach
dem Vorbild des Demmler-Baus errichtet. „Das nennen wir
Schweriner die Beamtenlaufbahn!" Marianne deutet auf die
Brücke, die die beiden Gebäude miteinander verbindet. Daneben (Schloßstraße 10) die einzige Rokokofassade der Stadt.
Sie wurde 1765 einem älteren Fachwerkhaus vorgeblendet,
heute steckt dahinter ein Neubau. Das „Café Prag" schräg gegenüber hat geschlossen. „Na, ja, es ist Sonntag, da wollen
die Angestellten ihren freien Tag..."

Ritterstraße und Puschkinstraße lassen wir rechts liegen, biegen dann nach rechts in die Schusterstraße. Grüngläsern wirbt
eine riesige Weintraube fürs „Weinhaus Uhle". Die Kneipe
gegenüber wird im Volksmund „Reuters Gute Stube" genannt, eine Gedenktafel erinnert an ein paar Tage, die der
Dichter hier im Jahre 1848 wohnte.

Von 1843 bis 1857 nach französischem Vorbild erbaut: Schwerins Schloß, Sitz der Großherzöge von Mecklenburg

Hinter Uhle links rum führt die 1. Enge Gasse auf das kleinste und schönste Gebäude in der Altstadt. Das Fachwerkhaus (Buschstraße 15) wurde im Jahre 1698 erbaut und beherbergt den Laden einer Drechslerei. „Die Balkenköpfe der ersten Etage waren früher mit Schnitzereien verziert", weiß Marianne, „aber die lagen wohl allzusehr in Griffhöhe."

Von unserem Standpunkt aus haben wir einen schönen Blick auf den Dom. Touristen drücken scharenweise auf den Auslöser. Die sich verengende 3. Enge Gasse führt auf die Hermann-Matern-Straße. Fußgängerschutzzone hieß die Haupteinkaufsstraße Schwerins im DDR-Amtsdeutsch. Die meisten Ladengeschäfte präsentieren sich inzwischen im westlichen „Look".

Nach 150 Metern gehen wir rechts die Schmiedestraße hinauf zum Markt. Geradeaus befindet sich die Schwerin-Information, an Wochentagen Anlaufstelle für Ratsuchende. Sonntags ist leider geschlossen. Auffällig ist das „Neue Gebäude" von 1785, dessen Säulen in seltsamem Kontrast zum dahinterliegenden Dom stehen.

Der Grundstein für den heutigen Dom wurde 1270 gelegt, der Bau zog sich bis ins 15. Jahrhundert hin. Die mächtige Orgel mit 6000 Pfeifen schuf Friedrich Ladegast 1871. Bis zur Aussichtsplattform im neugotischen Turm sind es 220 Stufen. Der Ausblick entschädigt für knirschende Knie. Unter uns das rhythmische Farbenspiel der Dächer. Eindrucksvoll wird sichtbar, daß Schwerin inmitten von Wasser liegt.

Vom Markt wandern wir noch einmal die reizvolle Schmiedestraße mit ihren Fachwerkhäusern und Lädchen zurück zur Hermann-Matern-Straße. Über den Schaufenstern erheben sich überraschende Fassaden. Rechts vom riesigen Postgebäude weht trotz der warmen Witterung eine Hustenreiz auslösende Rauchfahne herunter. Wir kämpfen uns durch zum Pfaffenteich. „Unsere Binnenalster!" Marianne ist stolz. Zu Recht. Der Pfaffenteich, ebenso wie Hamburgs Alsterausbuchtungen aus einem Mühlenteich entstanden, umkränzt von repräsentativen Bauten und Promenaden unter Bäumen, verströmt südliches Flair.

Das linke Eckhaus ist das Wohn- und Sterbehaus Georg

Adolph Demmlers, des Stadtbaumeisters, der 1825 als 19jähriger Schinkel-Schüler nach Schwerin kam und in seinem dreißigjährigen Schaffen als Hofbaurat das Gesicht Schwerins prägte. Ein ungeheuer selbstbewußter und fleißiger Mann. Das Arsenal, links am Pfaffenteich, entstand wegen des stets zur Eile drängenden fürstlichen Auftraggebers nach einer Bleistiftskizze Demmlers.

Wir wandern rechts am Pfaffenteich die August-Bebel-Straße entlang bis zum Anleger der Personenfähre. Erwachsene zahlen zehn Pfennig, Kinder fünf. „Petermännchen", ein komischer Name für eine Fähre. „Das ist unser Schloßgeist." Marianne lacht. „Manchen spukt das Männchen immer noch im Kopf, besonders, wenn sie das Bier getrunken haben, das hier in Schwerin unter seinem Namen gebraut wird."

Schelfstadt

Gegenüber vom Fähranleger gehen wir die Gaußstraße hinauf in die Schelfstadt. Die barocke Nikolaikirche ist umgeben von 180 Linden, die der umlaufenden Straße ihren Namen gaben. In der Lindenstraße 9 steht das Geburtshaus des Grafen Adolf Friedrich von Schack, der so bekannte Maler wie Böcklin, Schwind, Feuerbach und Lenbach mit seinen Geldern förderte. Im Eckhaus Kirchenstraße 2 wohnte der Komponist Friedrich von Flotow, der in den Jahren 1858 bis 1863 Intendant des Schweriner Hoftheaters war. „Martha, Martha, du entschwandest…", summt Marianne.

Die Schelfstadt ist eine Perle, doch ein Großteil der Bauten ist in einem erbärmlichen Zustand. Hier zu wohnen ist sicher kein Vergnügen. Da sehnt man sich nach den Neubauwohnungen in Plattenbauweise auf dem Großen Dreesch. Wer über Schmutz und bröckelnden Putz hinwegsehen kann, entdeckt in der Neustadt von 1705 ein wunderschönes Fachwerkviertel. Die Puschkinstraße hinunter kehren wir zurück. Gegenüber der Otto-Grotewohl-Straße gelangen wir an einen hofartig erweiterten Straßenknick. Hier stehen die wertvollsten Fachwerkhäuser der Stadt (Puschkinstraße 34), „Domhof" genannt. „Wohl wegen der Inschrift", mutmaßt Marianne. „O

Herr erbarme di unser und wes uns gnedich. Anno 1574" ziert das linke Gebäude. Der Ostflügel mit dem Ziegelmuster im Fachwerk entstand um 1700.

Nur ein paar Schritte sind's bis zum Schlachtermarkt, einem intimen Platz mit schönen Giebeln. Die eingefügten Neubauten passen sich harmonisch der alten Silhouette an. „Das Marktgeschehen ist ehemals amtlich verordnet worden", erzählt Marianne. Fest installierte Marktstände sorgen für Ordnung. „Hier gab's bisher, was im heimischen Garten zuviel wuchs: im Frühjahr Blumen, im Sommer und Herbst auch Obst und Gemüse." Inzwischen hat sich einiges verändert. Das westliche Warenangebot macht die Wahl zur Qual.

Wir verlassen den Schlachtermarkt nach links. In der Straße Großer Moor sind etliche alte Häuser abgerissen und durch neue Wohnbauten ersetzt worden. Auf der linken Seite das Historische Museum mit wechselnden Ausstellungen. Dahinter fällt mir ein Gebilde aus hellblauen Schließfächern auf. Was ist das? „Wenn du mir ein Paket schickst", sagt Marianne, „legt es der Postbote da hinein. Ich finde dann in meinem Postkasten den Schlüssel mit der Schließfachnummer." Praktisch! Am Marstall (auch ein Demmler-Bau) biegen wir rechts in die Werderstraße.

Am Anleger der Weißen Flotte verabschiedet sich Marianne, sie wohnt hier. Beneidenswert, der Blick auf Schloß und See. „Mach' auf jeden Fall eine Rundfahrt über den See, das wird dir gefallen", ruft sie mir noch zu. - Wird gemacht, Marianne.

Schiffstour

Eine Rundfahrt über den Schweriner See dauert zwei Stunden und ist unbedingt lohnend (Abfahrten für Innenseetouren während der Sommermonate täglich 10.00, 13.30, 14.00 und 17.00 Uhr, Außenseefahrten nur am Sonnabend und Sonntag 14.00 Uhr). Einzelpersonen können mit etwas Glück auch kurz vor Abfahrt noch einen Platz auf einem der Schiffe ergattern. Gruppen sollten auf jeden Fall vorbestellen. An sonnigen Tagen sind die Schiffe auch auf dem Oberdeck voll besetzt. Im Bauch des Schiffes sitzt man bei Kaffee, Bier und Brause und läßt das Schweriner Panorama im Dunst der Ferne entgleiten. Die Erklärungen aus dem Schiffslautsprecher sind wegen der Tonqualität nur schwer zu verstehen. Ein Erlebnis ist die Fahrt dennoch. Eine Ferien-Idylle mit kleinen reetgedeckten Bootshäusern am Ufer schmiegt sich in die Seele. Im See liegen zwei Inseln. Kaninchenwerder wird im Sommer von den Schiffen der Weißen Flotte angelaufen. Hier tut sich ein reizvolles Naturreservat auf, das von Wanderwegen durchzogen ist. Ziegelwerder kann nur erreichen, wer sich von einer der Bootsausleih-Stationen am Ufer selbst in die Riemen legt. Das Wasser des Sees ist klar. Rund um den See gibt es Naturbäder. Im Schweriner Stadtteil Zippendorf findet im Sommer echtes Strandleben statt.

Reiseziel: Schwerin
Lage des Ortes: 100 km östlich von Hamburg

Ausgangspunkt	Entfernung in Kilometern	Durchschnittliche Fahrzeit in Stunden
Berlin	205	2,5
Dresden	421	5,0
Frankfurt a.M.	629	6,5
Hamburg	110	1,5
Hannover	265	3,0
Köln	521	5,5
München	761	8,5

Schwerin-Information:

In der Innenstadt am Markt. Öffnungszeiten Mo–Fr von 9.00–16.00 Uhr und Sa 10.00–18.00 Uhr.

Unterkünfte:

Hotel „Stadt Schwerin", Grunthalplatz 5, am Bahnhof, Telefon 003784/812498; „Niederländischer Hof", Karl-Marx-Str. 12-13, am Pfaffenteich, Telefon 83727; „Am Strand" im Stadtteil Zippendorf, Am Strand 13, Telefon 213053; Ferienhotel „Fritz Reuter", ebenfalls in Zippendorf, Rätheweg, etwa drei Gehminuten bis zum Strand. Buchen Sie am besten im voraus, Hotelbetten sind rar. In der Schwerin-Information am Markt werden auch Schlafplätze in Pensionen vermittelt. Private Unterkünfte vermittelt auch Ingetraut Maaß täglich von 16.00 Uhr an, Körnerstraße 18 in der ersten Etage (etwa fünf Gehminuten vom Markt entfernt).

Restaurants:

„Altschweriner Schankstuben" am Schlachtermarkt; „Casino", Pfaffenstraße 3; „Tallinn", Puschkinstraße; „Uns Hüsung", Bischofstraße; „Weinhaus Uhle", Schusterstraße 13-15; „Theater-Café", Großer Moor; „Waldburg", Schloßgartenallee 70b; „Gambrinus", Tallinner Straße; „Weinhaus", Schusterstraße.

Cafés:

„Schweriner Kaffeestube", Buschstraße 7; „Turmcafé" im Fernsehturm (Mi–Sa 14.00–21.00 Uhr und So 11.00–18.00 Uhr), Stadtteil Großer Dreesch, Leninallee, „Lese-Café", Wilhelm-Pieck-Straße, am Pfaffenteich. Schloß-Café im zweiten Stock des Schweriner Schlosses (Öffnungszeiten siehe Schloß).

Stadtrundfahrt:

Am Markt startet die Petermännchen-Stadtrundfahrt. Sie führt am Schweriner See entlang und durch die Altstadt. Abfahrten täglich 10.30, 12.30, 14.00 und 15.30 Uhr.

Schloß:

Di–So von 10.00–17.00 Uhr geöffnet. Der Burggarten mit Grotte und Orangerie ist nur nachts geschlossen.
Lohnend ist der Besuch eines Thronsaalkonzerts. Da nur hundert Plätze vorhanden sind, sind die Karten entsprechend rar. Kartenvorverkauf über die Schwerin-Information.

Museen:

Historisches Museum Schwerin, Großer Moor 38, Mo 13.00–17.00 Uhr, Di–Fr 9.00–17.00 Uhr (12.00–13.00 Uhr Mittagspause), wechselnde Ausstellungen zur Geschichte Schwerins.
Staatliches Museum, Alter Garten, Di–So von 9.00–16.00 Uhr, sehenswerte Gemäldesammlung.
Restaurierte Schleifmühle (Technisches Museum), Schleifmühlenweg 1. Besichtigung und Führungen Mi–So von 9.00–12.00 und 13.00-16.30 Uhr.
Freilichtmuseum Mueß, Mi–So von 9.00-17.00 Uhr, von Mai bis Oktober. Gezeigt wird bäuerliches Leben.
Planetarium und Sternwarte, Weinbergstraße. Vorstellungen am Mi 15.00–16.30 Uhr, Fr 20.00–21.30 und So 13.00–17.00 Uhr.

Dom:

Besichtigungen, Führungen und Turmbesteigungen Mo–Sa 10.00–13.00 und 14.00–17.00 Uhr sowie So 14.00–17.00 Uhr.

Zoo:

Sehenswertes Wasservogel-Gehege in einer schönen Parkanlage. Der Zoologische Garten, An der Crivitzer Chaussee, ist von Mai bis September täglich von 9.00–18.00 Uhr und von Oktober bis April 9.00–16.00 Uhr geöffnet.

Fahrradverleih:

Schwerin auf zwei Rädern zu entdecken und zu durchstreifen ist besonders schön. Wege führen durch Parkanlagen und Wälder fast ganz um den Schweriner See. Das Zweiradcenter am Ziegenmarkt 9 verleiht Fahrräder.

Automobilclub:

Direkt am zentral gelegenen Leninplatz 1 hat der ADAC Mo–Fr 9.00–12.00 und 13.00–17.00 Uhr das Büro geöffnet.

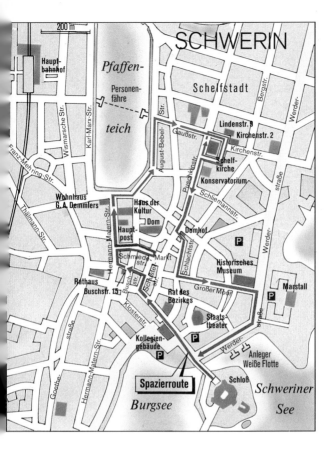

Neustadt-Glewe, Parchim und Umgebung

Egbert A. Hoffmann

„Auch wir sind eine Hafenstadt", zwinkert der Angler an der Schleuse, „zwar nicht ganz so groß wie Hamburg, aber Hafen ist Hafen." Daß ich nicht lache - der „Hafen" von Neustadt-Glewe besteht aus einem einzigen mickrigen Kai an der Elde, dem romantischen Nebenflüßchen der Oberelbe. Über ungezählte Schleusen hat die Elde Verbindung zu mehr als achtzig mecklenburgischen Seen. Natürlich tuckert gelegentlich auch mal ein schmalrumpfiger Lastkahn vorbei. Aber weit mehr Kundschaft hat die Elde im Sommer unter den Freizeitkapitänen - Paddler, Ruderer, Sportschipper mit ein paar PS am Heck.

Die „Hafenstadt" Neustadt-Glewe ist eine typisch mecklenburgische Kleinstadt. Früher hatte man einen treffenden Namen: Ackerbürgerstadt. Um den quadratischen Markt drängen sich hübsche Giebel, die bis zu zweihundert Jahre auf den Gesimsen haben. Alles ein bißchen verrottet, aber immer noch reizvoll. In Neustadts Luftraum ragt die gotische Pfarrkirche aus dem 14. Jahrhundert mit berühmter Kanzel des Lübecker Holzschnitzers Tönnies Evers. In der Nähe ein Renaissanceschloß mit barocken Stilzugaben und auf einer Anhöhe eine verwitterte Burg, die sich einst Schwerins Grafen bauen ließen, um ihre Untertanen stets überblicken zu können. Diese Burg, als Jugendherberge genutzt, ist heute einer der am besten erhaltenen Wehrbauten Mecklenburgs.

Neustadt-Glewe, 8000 Bewohner zählend, hat sich als Campingplatz einen Namen gemacht - wegen der wasser- und waldreichen Umgebung. Stille Seen, kleine Teiche, plätschernde Bäche und eben die Elde. Also etwas für Naturfreunde. Jetzt freuen sich die Bürger auf „Wessis". Bei Peter Preuß hinter dem musealen Bahnhof werden Quartiere für Gäste vergeben.

Fünf Kilometer westlich das Dorf Wöbbelin, einen Abstecher wert. Im Schatten einer Eiche das Grab des Dichters und Frei-

eitskämpfers Theodor Körner, der gerade 22 Jahr alt war, als
r 1813 vor Lützow bei Gadebusch gegen Napoleons Truppen
iel. In Wöbbelin werden auch schreckliche Geschehnisse
üngster Vergangenheit wachgehalten: Ein Mahnmal erinnert
n 5000 Opfer eines Außenlagers vom KZ Neuengamme.

Die Fernverkehrsstraße 191 ist gut in Schuß. Nach dreißig Ki-
ometern aber poltert der Wagen über altes Katzenkopfpflaster
von Parchim. Am Stadtrand die üblichen Betonsockel der
Neubauviertel, grau und eintönig. Aber dann das Zentrum:
Ein Backsteinidyll aus längst vergangenen Zeiten. Also Wagen abstellen und zu Fuß weiter. Übrigens sprechen wasch-
echte Mecklenburger nur von Pütt, wenn sie Parchim meinen.
Pütt ist kein Schimpf-, auch kein Hohn-, eher schon ein Kose-
name für das liebenswerte Nest am Wockersee.

Wie an Hamburg ist Barbarossa auch an Pütt „schuld": Schon
1170 beurkundete er die Burg Parchim, einen Sprengel des Bi-
schofs von Schwerin. Pütt ist also noch 19 Jahre älter als
Hamburgs Hafen. Ein wechselvolles Stadtschicksal - Groß-
brände, Pest, plündernde Heere, dennoch um 1550 wirtschaft-
lich bedeutendste Landstadt Mecklenburgs. Berühmt wird Pütt
durch seine Stoffe. Zur Zeit der größten Blüte hat die Stadt 85
Tuchmacher.

Die alte, schöne Stadt gammelt vor sich hin, nun schon seit
einem halben Jahrhundert. Viele Häuser sind kaputtgewohnt,
stehen leer, dämmern der Abrißbirne entgegen. Ein pensionierter Lehrer: „Um Pütt vor dem totalen Verfall zu retten,
brauchen wir mindestens fünfzig Millionen Mark." Der älteste
Fachwerkbau, unweit des Geburtshauses von Feldmarschall
Moltke (1800–1891), stammt von 1583. Man gibt ihm noch
drei Jahre, bis er zusammenfällt. Im Rathaus residierte jahrelang Bürgermeister Frahn. Jemand erzählt: „Zum Glück kein
scharfer Hund. Mecklenburger sind ja nicht so fanatisch wie
Sachsen." Will heißen: In Mecklenburg sah man die Welt
schon immer etwas gelassener.

Einen Ratskeller gibt es natürlich auch, „aber nicht zum Essen, sondern nur für Sitzungen", informiert die Rathaus-Tele-
fonistin. Manchmal werde dort allerdings auch gebechert. Na

also. Speisen kann man in diversen Kneipen von Pütt. Einige haben den Resopalcharme von Bahnhofswartesälen der früher fünfziger Jahre. Aus dem Rahmen fällt „Gambrinus", erstes Haus am Platz, wo man nicht ißt, sondern gepflegt tafelt. Am Eingang übliches Ritual: „Waren Sie angemeldet?" Natürlich nicht. Aber dann findet sich doch ein freier Tisch, appetitanregend gedeckt, und die Küche ist wirklich Klasse. Zweihundert Meter entfernt hat Pütt, was 24 000-Einwohner-Städte bei uns nicht haben: ein Landestheater.

Zehn Kilometer nördlich, an der F 321 nach Schwerin, ein winziges Dorf namens Domsühl und drei Kilometer westlich ein noch winzigeres Nest: Alt-Damerow. Hier hat Rentner Lemke nach der Pensionierung seine Lebensaufgabe gefunden: Er sorgt dafür, daß der Pingelhof zum Heimatmuseum wird. Drei Jahrhunderte lebte Familie Pingel in dem Hallen-Bauernhaus von 1607. Der letzte Pingel ist nun heimgegangen. Das Reetdachgehöft mit den nur 1,60 Meter hohen Türen ist prima in Ordnung: Tenne, Kammern, offene Feuerstelle mit angekokelten Balken. Beim Renovieren hilft das Kulturamt jetzt mit Geldspritzen.

Kurz vor Schwerin wieder ein Ackerbürgerstädtchen: Crivitz. Ältestes, größtes und kulturhistorisch interessantestes Bauwerk ist die Stadtkirche, um 1250 entstanden, dann immer wieder von Bränden verwüstet. Pastor Heinrich Rahtke schließt bereitwillig sein Gotteshaus auf. Das Dach ist defekt, Nässe hat irreparable Schäden verursacht. Erst vor kurzem wurden in der dreischiffigen Kirche bislang unbekannte Fresko-Zyklen entdeckt. Um sie zu bestaunen, kommen Besucher von weither. Jetzt endlich winkt Rettung für unschätzbare Werte. Das Diakonische Werk Nürnberg schenkte ein neues Dach.

Reiseziel: Parchim
Lage des Ortes: 40 km südwestlich von Schwerin
Entfernungstabelle: siehe S. 165

Die Gasse führt zum Rathaus von Neustadt-Glewe

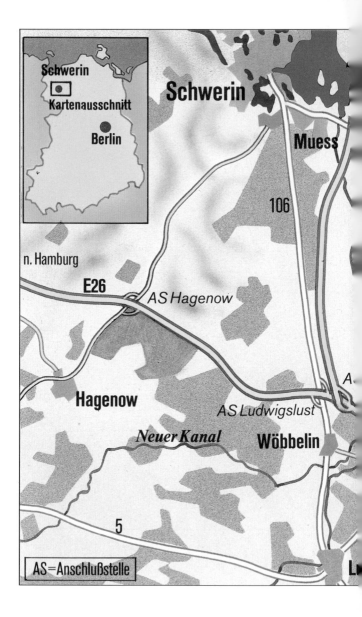

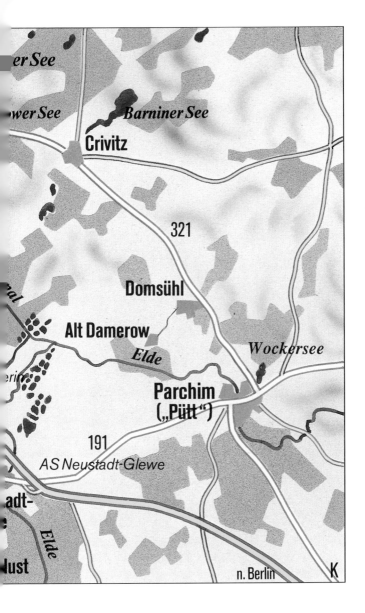

Redefin - Stallung mit Tradition

Ulrike Dotzer

Von Friedrich Franz I., Herzog von Mecklenburg, ist wenig überliefert. Doch sein exquisiter Geschmack hat ihn überdauert, im kleinen Dörfchen Redefin. 1812 gründete Seine Hoheit hier ein Landgestüt, das seinesgleichen sucht. In weiter Runde ließ er Wohn-, Verwaltungs- und Stallgebäude errichten. Die edelsten Hengste stellte er in die nahezu symmetrische Anlage und schuf ein Gestüt, das bis heute zu den schönsten der Welt zählt. Der weiße Putz der Gebäude blitzt von weitem auf, wenn man durch die Allee von Kastanien und Linden auf den Hof zufährt. In den säulengesäumten Ställen des „Hengstdepots" steht der beste Hengstnachwuchs Mecklenburgs. Vergleichbares gibt es nur in Neustadt/Dosse und in Moritzburg. Bereits im 18. Jahrhundert unterhielt der Schweriner Marstall in Redefin eine Stuterei. Heute bleiben die Hengste in Redefin unter sich. Zum Decken kommen sie in etliche Hengststationen Mecklenburgs. Auserlesener Nachwuchs wird in Redefin später zu Spring-, Dressur- und Reitpferden ausgebildet, ehe er weiterverkauft wird. Doch davon später.

Zunächst fällt etwas anderes ins Auge: der riesige weiße Triumphbogen hinter dem Hufschlag. Was dort prangt, ist das Portal der ehemaligen Reithalle. Sie wurde vor einigen Jahren abgerissen, so baufällig war sie; sie soll aber möglichst authentisch wieder aufgebaut werden. Zur Zeit fehlt das Geld für das Projekt. Unterstützung von Pferdenarren aus dem Westen sei willkommen, signalisiert Dr. Nörenberg, der Direktor des Depots. Genutzt wird unterdessen eine moderne, zweckmäßige Halle am Rande des parkähnlichen Geländes. Aber alle sind sich einig: Sie entspricht nicht dem Gesicht von Redefin.

„Die ganze Anlage steht unter Denkmalschutz", erzählt Hans Schmidt. Der alte Herr gehört seit fünfzig Jahren zur Gestütsverwaltung und war selbst einst Bereiter. In seiner grauen Uniform sieht er auf den ersten, unkundigen Blick aus wie ein Soldat der NVA. Er reitet schon lange nicht mehr, aber er zeigt Besuchern gern das Gestüt. Sein ganz besonderer Freund: Jupiter, ein edles Warmblut, mit 25 Jahren der Senior der Ställe. „Wegen seiner guten Erbqualitäten darf er hier sein Gnadenbrot fressen", sagt Schmidt. Er öffnet eine Boxentür nach der anderen und zeigt gemütliche Haflinger und stämmiges Kaltblut. Auch einige Trakehner gibt es in Redefin. Anders als die in Schleswig-Holstein tragen sie nicht die Elchschaufel, das Brandzeichen des Traditionsgestüts Trakehnen, sondern ein einfaches T. Der Grund: Die westdeutschen Züchter meldeten den Trakehner-Brand nach dem Krieg in Genf als Zeichen an. Damit war er für den Osten gesperrt. Stolz und Schwerpunkt des Gestüts aber ist und war das edle Warmblut. Die Herzöge kennzeichneten es mit einem schlichten M wie Mecklenburg. Heute trägt nur noch der Giebel des Landstallmeisterhauses das M. Der SED-Staat verpaßte der Zucht als Brandzeichen einen Pfeil mit einer sich darumwindenden Schlange, darunter ein E für edles Warmblut: Schnell wie der Pfeil und wendig wie die Schlange sollten die Pferde sein. Und sie sind es. Bis zur S-Dressur wird in Redefin ausgebildet, zumeist für den Export.

Wer gucken, nicht gleich kaufen will, kann die edelblütigen Dressur- und Springpferde auf dem riesigen Hufschlag der Anlage sehen. Dort sitzen die Bereiter wochentags im Sattel. Imposanter sind die jährlichen Hengstparaden. Jeweils am zweiten, dritten und vierten Septemberwochenende herrscht Trubel. Dann erleben zweitausend Besucher von Tribünen aus im Geviert Springvorführungen, Quadrillen und Gespannfahren bis hin zum Sechzehner-Zug. Hoch im Kurs steht beim Publikum auch das geschichtliche Spektakel: Römerwagen rasseln, Postkutschen knarren; Ladies im Damensattel konkurrieren mit Musketieren um die Gunst des Publikums.

In Redefin kann man Reitferien machen. Raum für vierzig Urlauber gibt es auf dem Hof - und 25 Reitpferde.

Reiseziel: Redefin
Lage des Ortes: 50 km südlich von Schwerin
Entfernungstabelle: siehe S. 165

Ein edler Pferdekopf. Das ehemals großherzogliche Gestüt von Redefin hat sich seine Weltgeltung erhalten können

Radwanderung an der Schaale

Nicola von Hollander

Vorbei an gedrungenen Bauernkaten, den blühenden Obst-
plantagen der LPG „Apfelblüte Dodow" und bröckelnden
Scheunen; die monströsen Misthaufen der Tier-LPG schicken
deftige Landluft herüber, von der Autofahrer genausowenig
haben wie von den kleinen Geschichten am holprigen Weges-
rand: Auf einer Radtour zwischen Wittenburg und Boizenburg
radelt man bei neuen deutsch-deutschen Plaudereien. Das Auto wartet derweil auf dem Wittenburger Marktplatz.
Von dort führt der Weg durch eine Lindenallee nach Südwesten Richtung Lehsen. Kühl und klar entläßt Deutschlands tiefster Binnensee sein Wasser in die kleine, flache Schaale. Die
fließt durch feuchte Wiesen und krautige Eichen- und Buchen-
wälder, vorbei an den wildwüchsigen Hängen des Schaale-Ta-
les und trockenen Heideflächen. Vielerorts kreuzen Brücken
den Weg der Schaale, säumen Aueweiden das Ufer und speisen Wiesenquellen den nie versiegenden Wasserlauf.
Wo die kleine Schilde sich vom Weezer See kommend langsam durch Wald und Wiesen an die Schaale herangetastet hat,
treibt die gemeinsame Wasserkraft so manches Mühlrad an.
Matten aus weißen Buschwindröschen bedecken im Frühjahr
die Waldhänge des Schaale-Schilde-Tales. Im Sommer blühen
Echte Steinmiere, Fingersegge, Teufelskralle, Bärenschote
und Waldkraut unter den kühlen Laubmischwäldern. Hier und
dort drängt sich die Krone einer riesigen Traubeneiche über
die bewaldeten Niederungen und Hänge - ein knorriges Naturdenkmal über dieser fast unberührten Landschaft.
Die Herrenhäuser erzählen von der Fruchtbarkeit ihrer Lände-
reien. Da ist das klassizistische Gutshaus in Lehsen mit seinem
toskanischen Säulenvorbau, den weißen Putten im Schloßpark
und der siebenhundertjährigen Eiche, der ältesten des Kreises.
Das Gut war ehemals im Besitz derer von Laatzen; heute ist
es Sitz der LPG Wittenburg.
Zwischen Feuchtwiesen und Feldern setzten die Gutsherren

sich und der mecklenburgischen Geschichte am Dorfrand ein markiges Denkmal: Das von einem Wassergraben umflossene Mausoleum der von Laatzens mit seinen spitzen Giebeln - ein Kuriosum in Pseudo-Gotik - verrottet heute zwischen knorrigen Eichen.

Weiter auf den Spuren der Geschichte lenke ich mein Rad durch die nächste Lindenallee nach Wulfskuhl und Camin. Der Empfang dort mit kasernenartigen Wohnblocks zwischen Hühnern und Historie ist so überraschend wie die Überlieferung durch das Kirchenbuch. Gegen die fast 850jährige Felssteinkirche wirkt das erst zweihundert Jahre zählende Herrenhaus - heute Altenheim - fast jugendlich.

Schon von weitem schwenkt mir Alfred Hahnemann den knochengroßen Kirchenschlüssel entgegen. „Frollein, wollen Sie die Kirche sehen?" Dreißig Jahre läutet er die Glocken jeden Sonntag zusammen mit seiner Frau und bläst der alten Orgel mit Fußpedalen Wind in die restaurationsbedürftigen Pfeifen. „Ist die Akustik nicht gut?" Er lacht und phantasiert in Moll auf dem winzigen Harmonium am Altar. Meine Zweifel, daß diese Kirche eigentlich Alfred Hahnemann gehört, sind längst verflogen. Doch als wolle er das noch einmal beweisen, scheucht er mich in den obersten Winkel des Turms. „Frollein, sehen Sie auch alles?" Hinter schmutzigen Fenstern und Spinnweben windet sich unten die kleine Schilde wie ein Aal durch nasse Wiesen.

Camin hat eine Wassermühle. Doch die steht heute still. Auf dem Weg nach Kogel lasse ich sie deshalb links liegen. Und dann, zwischen Kogel und Vietow, erlebt mein Fahrrad im hochstämmigen Buchenwald seine erste Morast- und Schlagloch-Rallye. Aber es lohnt sich. Wenn die romantische „Große Lichtung" ihren sattgrünen Teppich zwischen dem Waldsaum ausbreitet und die seicht dahinströmende Schaale ihre Schleifen durch das wogende Gras zieht, werden die Bilder von Caspar David Friedrich lebendig. Hier könnte er gesessen haben, um Landschaft und Stille auf der Leinwand festzuhalten.

Am Ende des Weges (im Wald) rechts: Da träumt in Tüschow

Ein neugotischer Torbogen als Eingang zum Herrenhaus

as nächste klassizistische Schloß den Schlaf des Verfalls. Einen Kilometer weiter das Puppenstubendorf Bennin, schon 158 als älteste Ansiedlung des Kreises Hagenow zum erstenmal erwähnt. Malerisch schmiegen sich die strohgedeckten niederdeutschen Hallenhäuser zwischen Moränenhügeln und echtem Schaaleufer um die spätgotische Fachwerk-Kapelle. Auch in dem vier Kilometer entfernten Groß Bengerstorf schlägt das Herz jedes Historikers höher: Die Bengerstorfer sind stolz auf ihren Schaugiebel Anno 1632, den vielleicht eindrucksvollsten von ganz Mecklenburg. Mitten in diesem Bauernflecken führt mich ein unscheinbarer Sandweg jetzt rechts ab durch eine Wiesenidylle und bergan auf den Rücken der Bretziner Heide.

Landschaftswechsel: Sand, Erika und Heidschnucken. Alles, was die Lüneburger Heide auch zu bieten hat. Hügelgräber, Lehrpfad und Picknickplatz - nichts fehlt. Seit 1958 steht diese letzte größere Zwergstrauchheide des mecklenburgischen Binnenlandes unter Naturschutz. Und ein kleiner Linksabstecher in den Sander öffnet einen weiten Blick über das Urstromtal der unteren Sude und die Moränen des Schaaletales.

Vorbei an Bretzin und Wiebendorf windet die Schaale eine letzte Schleife um Zahrensdorf, ehe sie sich im Wiesengrund verabschiedet. Denn in Zahrensdorf setzt die vielbefahrene F 5 dem Naturidyll ein Ende.

Reiseziel: Wittenburg
Lage des Ortes: 35 km südwestlich von Schwerin
Entfernungstabelle: siehe S. 165

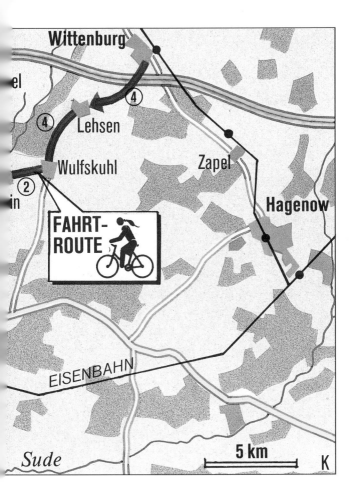

Radtour von Büchen nach Ludwigslust

Stephan Wallocha

Natur pur genießen und vergessene Dörfer und Städte des frü
heren Sperrgebietes entdecken - das sieht unser Vorschlag fü
eine zweitägige Radtour in Mecklenburg vor. Ideal also für ei
ne Kurzreise am Wochenende.
Die Strecke führt durch Mecklenburg, die „Griese Gegend'
und die Elbniederung, wobei ein Teil der An- und Abreise mi
der Bahn zurückgelegt wird. Das Rad fährt derweil im Ge
päckwagen mit.

1. Tag: Büchen - Dömitz (ca. 75 km)
Von Büchen aus geht die Fahrt in Richtung alter Grenzüber
gang Horst. Jahrelang waren Radfahrer hier vom Grenzüber
tritt ausgeschlossen. Was früher undenkbar war, hinterläßt
heute nachhaltige Eindrücke. Langsam radelt man auf der F5
durch Reste der alten Sperranlagen. Hier noch ein Grenzpfahl,
dort noch ein Zaun, neue deutsche Wirklichkeit. Irgendwo in
der Landschaft ein ehemaliger Kontrollpunkt, der heute einem
sinnvollen Zweck dient: „Harry's Imbiß" steht in großen
schwarzen Lettern auf dem Wachturm. Der rasche politische
Wandel macht solche Kuriositäten möglich.
Nach einer kleinen Steigung rollt man in raschem Tempo hin
unter nach Boizenburg. Die Stadt im Urstromtal der Elbe lädt
zur Besichtigung ein. Vom Elbdeich aus, gleich hinter der
Gaststätte „Stadt Boizenburg" gelegen, steht die Elbe-Werft.
Im Ortskern ist der Marktplatz mit gotischer Kirche und dem
barocken Rathaus sehenswert. Wassergräben, die von der ehe
maligen Burganlage übriggeblieben sind, prägen das Stadtbild
ebenso wie die kleinen Fachwerk- und Backsteinhäuser. Das
städtische heimatgeschichtliche Museum am Kirchplatz 13 ist
in einem wunderschönen Bau aus dem 18. Jahrhundert unter
gebracht. Weiter geht es auf der F 5 bis zum Ortsteil Boizen
burg-Bahnhof. Rechts ab auf die weniger befahrene F 195.
Die schier unendlich großen Weide- und Ackerflächen der

LPGs ziehen langsam vorbei. Die Elbe hat diese flache Landschaft mit Feuchtgebieten und zahlreichen Nebenflüssen geprägt.

In dem kleinen Ort Zeetze rechts abbiegen und auf der schmalen Straße nach Privelack fahren. Schon von weitem sieht man den Elbdeich, am Rande noch ein paar eingerissene Grenzanlagen und verwaiste Wachtürme. Der Deich wurde einst von den Grenztruppen mit Betonplatten bebaut und dient noch heute als Kontrollweg. „Radfahren erlaubt" heißt es jetzt auf Verkehrsschildern.

So radelt man auf dem Deich an den Überresten des Grenzzaunes entlang. Rechts liegt die Elbe, links nähern sich die schönen Naturschutzgebiete der Elbniederung. Auch ohne Fernglas lassen sich auf den folgenden Kilometern Reiher, Störche, Schwäne oder gar der seltene Schwarzstorch beobachten.

Zum Teil ist der Weg - das Radlerherz erfreut's - gut asphaltiert. Auch Angler haben die Natur inzwischen für sich entdeckt und sitzen hier und da im Schilfdickicht.

Bei Herrenhof gibt es eine Fähre über die Elbe nach Hitzacker. Bei Wilkenstorf wird der Weg auf dem Deich schlechter. Deshalb geht's hier runter auf die Straße, über Bohnenburg zur F 195. Dort über die Löcknitz Richtung Dömitz.

Ein Abstecher rechts nach Rüterberg führt noch einmal die Auswirkungen der ehemaligen grausamen innerdeutschen Grenze vor Augen. Das malerisch gelegene Elbdorf war 22 Jahre lang von zwei Stacheldrahtzäunen umgeben. Einer lag in Richtung Bundesrepublik, der andere in Richtung DDR. Die 150 Einwohner benötigten für die Ein- oder Ausreise Passierscheine, Besuch durfte nicht empfangen werden. Von 23 Uhr abends bis 5 Uhr früh blieb das einzige Tor, das zum Dorf führte, verschlossen. Am 8. November 1989 riefen die Bewohner die „Dorfrepublik Rüterberg" aus. Sie wollten die Demütigungen nicht länger ertragen. Die Rüterberger verstehen ihre Proklamation als Mahnung für die Mißachtung von Staats- und Bürgerrechten. Hans Rasenberger, Schneidermeister und Hauptinitiator der „Dorfrepublik", gibt Postkarte und

Der Festungsgraben schützte Boizenburg vor Feinden

Poststempel der „Republik" heraus. Ein Republikwappen gibt es auch: Es zeigt auf den Mecklenburger Landesfarben einen Ritter (Rüter) mit Schild und Schwert, der auf einem Berg steht. Wellen symbolisieren die Elbe.

Weiter geht's nach Dömitz. Die kleine Hafenstadt liegt im Dreiländereck zwischen Mecklenburg, Hannover und Brandenburg. Hier lohnt die Besichtigung der einzigen erhaltenen Flachlandfestung, deren Bau zurückgeht bis ins 13. Jahrhundert. In der Festung befindet sich das Heimatmuseum. An den niederdeutschen Dichter Fritz Reuter, der hier inhaftiert war, erinnert eine Gedenkstätte im Festungsturm. Die malerische Altstadt mit ihren Fachwerkbauten lädt zum Rundgang ein. Erwähnenswert sind außer der technisch interessanten Konstruktion der Drehbrücke über die Elde-Müritz-Wasserstraße noch die zahlreichen Schleusen und malerischen Uferlandschaften des Eldetals.

2. Tag: Dömitz - Ludwigslust (ca. 55 km)

Frühmorgens von Dömitz aus nach Klein-Schmölen. Im Ortskern rechts abbiegen und an der Gaststätte vorbei in Richtung Elbe fahren. Kurz vor der Siedlung erscheinen linker Hand die einzigartigen Wanderdünen der Elbe. Wanderdünen an der Elbe? Die gibt's! Sie stehen unter Naturschutz. Deshalb auf dem Feldweg bleiben. Er führt aus der Siedlung heraus; vorbei geht es an den Dünen; rechts liegt die Löcknitz, dahinter das Elbetal.

Hinter Polz die Löcknitz überqueren; weiter über Breetz und Seedorf nach Lenzen. Die kleine Stadt am langgestreckten Rudower See kann auf eine tausendjährige Geschichte zurückblicken. Der Burgturm im Ort stammt aus dem 13. Jahrhundert. In einer Fachwerkscheune liegt neben der Burg das Heimatmuseum (Volkskundliche Sammlungen; ein Diorama stellt mit 8500 Zinnfiguren die Schlacht bei Lenzen von 929 dar). Die reizvolle, waldreiche Umgebung auf der anschließenden Route über die Dörfer Bochin, Steesow, Deibow und Milow mit ihren rotgeklinkerten Häusern ist richtig erholsam.

Schnell ist man in Grabow angelangt. Sehenswert ist das in

weiten Teilen der Innenstadt geschlossen erhaltene Straßenbild mit Fachwerkbauten. Auch das Rathaus ist ein Fachwerkbau. Sieben Kilometer weiter - an der F 5 führt eine Art Fahrradweg entlang - liegt das Ziel dieser Tour: Ludwigslust. Am Karl-Marx-Platz lassen die Erfrischungen des Eiscafés die Strapazen des Radelns schnell vergessen. Noch vor der Stadtbesichtigung sollte die Fahrkarte am Bahnhof gekauft werden, denn hier wird alles noch per Hand ausgefüllt. So kann es zu unliebsamen Wartezeiten kommen.

Die Kreisstadt ist die jüngste Stadt des Bezirks Schwerin; die Stadtgründung fand erst 1876 statt. Die künstlerisch wertvolle Stadtanlage steht unter Denkmalschutz. Weil sich die Stadt mit ihren relativ kleinen Häusern weit ausdehnt, ist das Rad das ideale Fortbewegungsmittel in „Lulu", wie die Einwohner ihre Stadt nennen. Barocke und klassizistische Wohnhäuser umgeben das Schloß von 1776, das mit einem 120 Hektar großen Schloßpark, Kirchen, Marstall, Wasserspielen und Kanälen dem großen Vorbild Versailles nacheifert.

Wenn man am späten Nachmittag aus dem Zugfenster noch einmal auf die mecklenburgische Landschaft schaut, stellt man doch verblüfft fest, daß man während der zweitägigen Radtour von Land und Leuten viel er-fahren hat.

Unterkünfte:

Privat: Verschiedene Verzeichnisse von Privatquartieren in Mecklenburg sind im Buchhandel erhältlich; möglichst vorher schriftlich oder telefonisch bei den Vermietern anfragen. Auf der Strecke gibt es auch einige Angebote von Privatleuten, die ein Schild „Zimmer frei" ausgehängt haben.

Hotel: Das Gasthaus „Fritz Reuter" in Dömitz, Walther-Rathenau-Straße 12, steht allen Reisenden wieder für Übernachtungen zur Verfügung. Bei Belegung geben die Wirtsleute gern Auskunft über zusätzliche Privatquartiere.

In Lenzen gibt es das Hotel „Stadt Hamburg", Jahnstraße 1, Telefon 00378549/2371. Wer spontan losfahren möchte, sollte sicherheitshalber ein Zelt mitnehmen, beim Bauern fragen!

Besonders empfehlenswerte Restaurants: „Stadt Hamburg" (auch Hotel, Zimmer mit Dusche u. WC), Ludwigslust, Letzte Straße 4, Tel. 25 06; „Mecklenburger Hof" (auch Hotel), Ludwigslust, Ernst-Thälmann-Straße 42, Tel. 26 53.

Praktische Hinweise:

Als Karte empfiehlt sich „Die Generalkarte DDR", Maßstab 1:200 000, Blatt 1, Mairs Geographischer Verlag.

Fahrradwerkzeug mitnehmen (Ersatzschlauch, Flickzeug, Ersatzspeichen, Speichenspanner; in Mecklenburg gibt es noch nicht überall Ersatzteile nach unseren Normen und Qualitätsansprüchen).

Verpflegung: Zahlreiche Gaststätten liegen am Weg. Zu kurzen Verschnaufpausen laden Imbißbuden ein. Das Angebot entspricht inzwischen dem in den alten Bundesländern.

Mecklenburgs reiche Tierwelt

Gustaf Adolf Henning

„Heute noch, wie zu Urzeiten, jagen dort Schwarzstorch und Schreiadler die Kreuzotter." Was Hermann Löns aus einem Lüneburger Heidemoor der Zeit vor dem Ersten Weltkrieg berichtet, kann die Landschaft der DDR herzeigen. Und Selteneres: Heute noch wie zu Urzeiten brütet dort die Großtrappe, baut der Biber seine Burgen, kräht die Blauracke, jagen Fisch-, See- und Schreiadler.

Dennoch, eine Art Tierpark aus lauter lebendigen Naturdenkmälern vergangener Zeiten ist natürlich auch die DDR schon längst nicht mehr. In der Zeitschrift „Archiv für Naturschutz und Landschaftsforschung" hat der Zoologe Dr. Max Dornbusch von der „Biologischen Station Steckby" (an der Elbe bei Dessau) 1987 eine Bilanz gezogen mit den zuletzt verfügbaren Zahlen über „Bestand und Schutz vom Aussterben bedrohter Tierarten".

Darin eine frohe Nachricht: Der Biber gehört nicht mehr zu den „Bedrohten"; er gilt nur noch als „gefährdet". Mehr als 200 ehrenamtliche Helfer haben den Elbe-Biber wieder auf 2000 Tieren hochgebracht. Der Bestand der westlichen Bundesländer aus Wiederansiedlungen wird auf 200 Tiere geschätzt, die meisten stammen aus Mecklenburg.

Den letzten Krieg hatte nur ein kleines Häuflein an der Elbe zwischen Magdeburg und Dessau überlebt. Nun ist Mecklenburg das „Land der 117 Burgen" - nicht des Landadels, sondern je einer Biberfamilie. Auch zehn vom Biber gebaute Staudämme und Kanäle wurden gezählt (Gesamtlänge: 4,6 Kilometer), daneben viele Erdbauten.

Dieser größte Nager der Nordhalbkugel ist inzwischen nicht mehr auf die Elbe beschränkt. Auf der ostdeutschen Seenplatte gibt es 430 Ansiedlungen, zum Teil künstliche. Schwerpunkte sind die Templiner Gewässer, das Peene-Trebel-Tal und die Warta-Mündung der Oder.

Wo so viele Feuchtgebiete noch feucht geblieben sind, kann

uch der Fischotter existieren. Nach der letzten Schätzung 984 waren es 450 Köpfe von Europas seltenstem Säugetier. Vornehmlich im Harz und im Thüringer Wald fangen noch 00 Wildkatzen die Waldmäuse. Und im Ostharz halten 200 Kleine Hufeisennasen ihren Winterschlaf. Das ist eine der kleinsten und empfindlichsten Fledermausarten, die in der Bundesrepublik ihre Nordgrenze an der Mosel erreichen.

Begünstigt sind die neuen Bundesländer zumindest aus klimaischen Gründen. Das kontinentale Klima bringt mehr Somnerwärme, die für viele Tiere wichtiger ist als der kältere Winter. Somit kann vor allem das Flachland einen passablen Lebensraum bieten für die westlichsten Vorposten von Vogelarten, die vornehmlich im Osten oder in den Steppen SüdostEuropas oder Asiens beheimatet sind.

Das ist allen voran die Großtrappe, ein stattlicher Laufvogel. Um 1800 soll die Trappe bei Hamburg gebrütet haben, 1865 bei Segeberg und 1910 noch bei Mölln. Im östlichsten Braunschweiger Winkel wurde 1929 ein allerletzter westdeutscher Trappenhahn in der arg verrenkten Balzstellung und bei meterhohen Tanzsprüngen beobachtet. Der erwachsene Hahn könnte einem Reh über den Rücken gucken. Trappen stören sich nicht an ein Paar Einzelbäumen oder Hecken, brauchen aber weiten Horizontblick - ohne Menschen. In den vergangenen zwanzig Jahren ging der Bestand um 70 Prozent zurück und wird gegenwärtig auf „kaum 300" geschätzt.

Wo die Henne nistet, müssen die Bauern zwanzig Meter Abstand halten und bekommen dafür ihren Ernteausfall vergütet. Obwohl von dreißig Trappen-Vorkommen zwanzig in Trappen-Schongebieten liegen, zerstören landwirtschaftliche Maschinen viele Gelege. Bis 1986 wurden 360 Trappen aus gestörten Gelegen aufgepäppelt und in die Freiheit entlassen. Naßkalte Sommer sind der Tod für die Küken, Hochspannungsleitungen der Tod für die nicht sehr fluggewandten Alten, die auch erst mit vier bis sechs Jahren geschlechtsreif werden.

So ist, trotz vieler mit Winterraps bestellter „Trappenäcker", die Perspektive für den Steppenläufer nicht gut. Menschen-

scheu wie er ist, dürfte der Vogel das Aufblühen einer neue
Tourismusindustrie kaum lange überleben.

Die Blauracke ist in Westdeutschland kaum noch dem Name
nach bekannt, wenngleich Albrecht Dürer sie gemalt hat. Si
war nach der Eiszeit aus dem Raum von Turkestan eingewan
dert und ist schon seit 1800 allmählich wieder auf dem Rück
zug. Im 19. Jahrhundert gab es die Racke (nach dem krähen
artig-rauhen „Rack"-Rufen) noch in allen bundesdeutsche
Ländern außer Schleswig-Holstein. Der Bestand ist von 13.
Brutpaaren im Jahr 1961 auf nunmehr fünf gesunken. Die fün
Höhlenbäume dieser für europäische Maßstäbe seltsam bunte
Vögel stehen unter „absolutem Schutz".

Mit seinen Ratterstrophen hatte sich der Seggenrohrsänge
1972 aus einem niedersächsischen Feuchtgebiet verabschiede
und gilt seitdem in der Bundesrepublik als ausgestorben. I
den östlichen Bundesländern rattern auch nur noch zwanzig
Brutpaare im Tal der unteren Peene, und etwa 18 singende
Männchen sind in den Oderpoldern gehört worden.

Ebenfalls in Niedersachsen brütete 1963 ein letztes bundes-
deutsches Fischadlerpaar. Und die Holsteiner Vogelkundler
warten in jedem Frühjahr, daß aus dem deutschen Osten eine
kleine „Adlerspende", Männlein mit Weiblein, wieder her-
übergeflogen kommt. Drüben gibt es nämlich noch 120 Brutpaare, davon allerdings nur noch zwei im Ostseeküstenraum.
Wie der Schwarzstorch (1984 noch vierzig Brutpaare) hat sich
auch der Fischadler in die südlicheren Bezirke abgesetzt.

Naturschutz ist schwierig an der Küste, selbst in einem Land,
wo nur halb so viele Menschen pro Quadratkilometer leben
wie in den westlichen Ländern. Aber die Küste war bisher
Haupterholungsgebiet und wurde von Mai bis Oktober von
sechs Millionen DDR-Bürgern aufgesucht. In den Vogel-
schutzgebieten sind die Strandzonen tummelfrei für Urlauber.
Mit den Zahlen gefährdeter Seevögel ist somit kein Staat zu
machen. Dafür aber mit Schrei- und Seeadlern. Nur Norwe-
gen hat noch mehr Seeadler als Mecklenburg. Das Land beherbergt den mit 120 Paaren größten Bestand Mitteleuropas
(Bundesrepublik: sechs Paare). Und der Schreiadler, den Her-

Der Seeadler, an Mecklenburgs Seen ist er noch zu Hause

mann Löns noch bei Lüneburg erlebt hat (letzte Brut 1927
ist drüben mit einem stabilen Bestand von achtzig Brutpaare
vertreten.

Ebenfalls ein Liebhaber feuchter Wälder ist der Graukranich
Für 2000 Kranichpaare (westliche Bundesländer: etwa 50) is
Mecklenburg Brutheimat. Und zur Zugzeit bietet sie in zwe
großen Gebieten an der Küste und zwanzig weiteren im Bin
nenland bis zu 30 000 nordischen Kranichen Rastmöglichkei
ten. Am Bock und auf West-Rügen sammeln sich im Frühjah
2000 bis 4000, im Herbst 4000 bis 8000 und mehr. Es sin
die bedeutendsten Sammel- und Rastplätze Nord- und Mitte
leuropas. Sie zu erhalten, meint Max Dornbusch, sei „interna
tionale Verpflichtung".

Vogelschutzgebiete

OSTSEE

Hiddensee
Zingst
Rügen

Mecklenburger Bucht

Pommersche Bucht

Rostock

Trebel

Peene

Naturschutzgebiet »Ostufer der Müritz«

Neubrandenburg

Uckermark

Templin

Schwerin

Elbe

SÄUGETIERE
B Biber
W Wildkatze
F Fischotter
H Kleine Hufeisennase
VÖGEL
G Großtrappe
S Seggenrohrsänger
Wf Wanderfalke
Kr Kranich
Se Schreiadler
W Wiesenweihe
B Birkhuhn
A Alpenstrandläufer
Bl Blauracke
F Fischadler
Se Seeadler
St Schwarzstorch
K Kornweihe

Colbitz-Letzlinger Heide

Berlin

Oder

Oderbruch

Warthe

Frankfurt/Oder

Potsdam

Fläming

Spreewald

»Biosphärenreservat Mittlere Elbe«

Magdeburg

Elbe

Harz

Saale

Mulde

Cottbus

Spree

Neiße

Lausitz

Halle

Leipzig

Elbe

Dresden

Erfurt

Gera

Chemnitz

Thüringer Wald

Erzgebirge

50 km

.... Bezirksgrenze
⊙ Bezirkshauptstadt

K

Herrenhäuser und Gutshöfe

Irene Jung

Wer in Mecklenburg über die Dörfer fährt und dabei Sand- und alte Kopfsteinpisten nicht scheut, der entdeckt sie: die alten Herrenhäuser und Gutshöfe der Junker. 1945 sind sie sofort enteignet worden. Die Güter waren vor dem Krieg einmal wirtschaftliche und oft auch kulturelle Mittelpunkte, bestimmende Elemente im Mecklenburg der Großgrundbesitzer. Die Bezeichnung Junker galt bei sozialen Auseinandersetzungen der Weimarer Republik schon als Schimpfwort, später ebenso in der Geschichtsschreibung der SED-Zeit. In früheren Jahrhunderten war der Junker einfach ein Landadliger.

Was ist in vierzig Jahren geworden aus den alten Herrensitzen? Viele sind auf alten slawischen Burgflecken entstanden. An Lehm- und Backsteinfundamenten nagt der Zahn der Zeit ebenso wie an Barockputz und Renaissance-Portalen. Eine neue Gründerwelle gerade um die Schweriner Seen herum fand Ende des 19. Jahrhunderts statt: Da bevorzugten die Bauherren den sogenannten historistischen Stil, der die Burgen des Mittelalters nachahmte - mit Giebeln und Zinnen.

Nach dem Krieg und der Vertreibung der Junker wurden die Herrenhäuser von russischen Truppen besetzt, später von den LPGs genutzt - als Küchen, Versammlungsräume, Kindergärten, Büros, Lagerhallen. Andere dienten als staatliche Bildungs-, Ferien- und Kinderheime. Bei intensiver Nutzung wurde jedoch der Erhalt der Bausubstanz vernachlässigt. Selbst für viele Häuser, die auf den Bezirksdenkmallisten stehen, kommt eine Sanierung zu spät.

Aber der Charme der Guts- und Herrensitze zwischen Feldern und Wäldern ist erhalten geblieben. Oft kann man noch die alte symmetrische Anlage der Gutshöfe erkennen - zwei Scheunen begrenzen die Einfahrt, rechts und links schließen die Reihenhäuser der Kätner und Landarbeiter an, in der Mitte thront das Herrenhaus.

Und innen ist da und dort noch manche Entdeckung zu machen: Alte Öfen zeugen vom klassizistischen Geschmack und reicher handwerklicher Erfahrung, schöne Stuck- und Kassettendecken sind zu sehen, Holztäfelungen mit Intarsien oder Holzmalereien blieben wie durch ein Wunder erhalten.

Die SED gab Anfang der achtziger Jahre selbst zu, daß die Dörfer als Wohnort bei den DDR-Bürgern stark an Attraktivität verloren haben. Ein Grund dafür war auch, daß gewachsene Mittelpunkte - wie die Herrenhäuser - einfach verschwanden oder unbenutzbar wurden. Viele Schloßparks, die im 18. und 19. Jahrhundert in Anlehnung an englische Landschaftsparks mit Seen und Baumgruppen gestaltet worden waren, hat man in Fußballfelder oder Kleingärten aufgeteilt. All das waren Verluste an Schönheit, die nicht immer wettgemacht wurden durch die Errichtung neuerer Wohnungen oder Kulturhäuser aus Plattenbeton.

Aber gerade jüngere Mieter und Gemeindevertreter haben sich gegen Abbruch und Verfall zur Wehr gesetzt. Ihnen ist zu verdanken, daß es heute auch Ideen für neue Nutzung gibt.

Herrenhaus Gut Plüschow bei Grevesmühlen

Das Herrenhaus ließ der reiche Hamburger Kaufmann Philipp Heinrich Stenglin 1763 als Sommersitz bauen, nachdem er die acht Güter der Vogtei Plüschow gekauft hatte. Sein Sohn Conrad veräußerte den Besitz 1802 an die mecklenburgischen Landesfürsten. Das Herrenhaus, ein Barockbau, wurde nach dem Krieg als Flüchtlingsheim, LPG-Küche und Kneipe verwohnt. 1983 richteten der Maler Udo Rathke und seine Frau, die tschechische Künstlerin Miro Zahra, hier ihre Ateliers ein - niemand sonst wollte mehr in den hohen, schwer beheizbaren Räumen wohnen. Die beiden gründeten einen Förderkreis „Kunst auf Schloß Plüschow" und nutzten die schöne, großzügige Eingangshalle mit den breiten Aufgängen für Ausstellungen und Konzerte. Erhalten geblieben sind auch zwei alte Öfen im klassizistischen Stil aus dem 18. Jahrhundert. Termine und Informationen sind zu bekommen bei Udo Rathke, 2421 Plüschow, Postfach 131.

Schloß Raben Steinfeld am Südostende des Schweriner Sees
Ausgesprochen englisch wirkt der kleine Ort Raben Steinfeld
am Südostende des Schweriner Sees: Ende des 19. Jahrhunderts wurden die Häuser des ehemaligen Gestüts im englischen Cottage-Stil erbaut, mit rot-gelbem Klinkermuster, der
Gotik nachempfundenen Giebeln und Zinnen. Die Abzweigung von der Hauptstraße Richtung See führt direkt zum Herrenhaus, heute eine Ingenieurschule für Forstwirtschaft: ein
hübsches, eher schlichtes Landhaus mit grünen Holzgiebeln
und Säulenportal. 1887 wurde es für den Großherzog von
Mecklenburg gebaut. Sehenswert: der Schloßpark mit Mammutbäumen und Sumpfeichen. Unterhalb des Schlosses am
Steilhang beginnt ein Naturlehrpfad durch einen der schönsten
Teile des gesamten Seeufers.
Der Name der Ortschaft rührt von den Junkern von Raben
her, denen die steinreiche Endmoränenlandschaft ursprünglich
gehörte. Hier übrigens endete 1945 der Marsch von 30 000
KZ-Häftlingen aus Sachsenhausen, die vor Ankunft der sowjetischen Armee verschleppt werden sollten.

Schloß Wiligrad am Westufer des Schweriner Sees
Zu den schönsten und am besten erhaltenen Schlössern aus
dem ehemaligen Besitz der Herzöge von Mecklenburg gehört
Schloß Wiligrad am Westufer des Schweriner Sees (in Lübstorf von der F 106 nach Wismar abbiegen, dann nach dem
Bahnübergang links). Die Straße nach Wiligrad führt kilometerweit durch herrlichen Buchenwald - das Schloß mit großem
Gut wurde 1898 als Jagdsitz des Großherzogs Johann Albrecht
und seiner Frau Elisabeth von Sachsen-Weimar gebaut. Bis in
die dreißiger Jahre zog der Hof der Herzöge im Sommer hierher - mit Pferden, Küchengeräten und Dienerschaft. Das imposante Gebäude im historistischen Stil sollte das Mittelalter
kopieren: Türme, Kuppeln, Treppenfassaden und schwere,
niedrige Holzportale, zum See hin allerdings eine große Terrasse mit Freitreppe. Das Schloß diente nach dem Krieg als
Partei-, zuletzt als Polizeischule, der Leiter hat sich sehr um
die Instandhaltung bemüht. Sehenswert, wenn auch weniger

gut erhalten, sind auch die schön verzierten Fachwerkhäuser des Guts. Wiligrad ist ideal als Ausgangsort für Spaziergänge.

Schloß Trebbow nördlich von Schwerin
An die Familie von Barner erinnert an der F 106 nach Wismar noch der Ortsname Barner Stück. Ein paar Kilometer weiter zweigt die Straße nach Klein-Trebbow ab. Sie führt direkt auf das Herrenhaus der von Barners zu, am Ufer des romantischen Trebbower Sees. Der schöne Barockbau mit Zierkacheln hat eine Freitreppe zum Festsaal im Erdgeschoß, hinter dem heute der Gemeinderat tagt.

Der letzte Herr von Barner, verheiratet mit einer Gräfin von der Schulenburg, kam 1945 als Vertriebener nach Gut Tesdorf in Schleswig-Holstein. Ehemalige Bekannte schildern ihn als einen „sehr kultivierten und gebildeten Herrn, der mindestens sieben Stunden am Tag Klavier spielte" und trotz angegriffener Gesundheit von Zigarren und Champagner nicht lassen wollte. Sein Spitzname war „Onkel Zulli". In Tesdorf nahm sich „Onkel Zulli" eines kleinen Flüchtlings aus Polen an, mit dem er Klavier spielte. Der kleine Junge war Justus Frantz, heute Pianist und Intendant des Schleswig-Holstein-Musikfestivals. Seinem mecklenburgischen Gönner, sagt Frantz, verdanke er die Starthilfen seiner Karriere.

Die frühere Frau des Gutsbesitzers hat im Frühsommer 1990 im Herrenhaus Trebbow eine Gedenktafel eingeweiht, die an ihren Bruder Fritz-Dietlof von der Schulenburg gemahnt. Er war 1944 wegen der Beteiligung am Attentat auf Hitler in Plötzensee hingerichtet worden.

Herrenhaus Goldenitz zwischen Boizenburg und Ludwigslust
Das malerische Herrenhaus an der Straße F 5 wurde nach dem Krieg von LPG-Mitgliedern bewohnt, die drinnen nicht mal fließendes Wasser hatten. Wegen der mangelnden sanitären Einrichtungen wird es jetzt nur noch als Begegnungsstätte für Jugendliche genutzt. Das Haus neben einem Flüßchen wurde um die Jahrhundertwende gebaut, ist von Weiden umstanden und wirkt ein bißchen wilhelminisch-spukschlossig.

Herrenhaus Gnemern zwischen Wismar und Bützow

Das Herrenhaus Gnemern wirkt von außen grau und unscheinbar. Dem Bau, der 1663 nach einem Brand neu errichtet wurde, fehlt noch das Spielerische des Barock, aber um so erstaunlicher ist das Innenleben. In der Halle ist zwischen den beiden Holzaufgängen ein Fresko aus dem Brandjahr erhalten, auch die schwere Eichendecke ist eine Wucht aus der Zeit der Gegenreformation. Im Saal zur Linken gehört die intarsienreiche Wandvertäfelung zum Jugendstil. Und dahinter befindet sich der älteste erhaltene Teil des Hauses, ein Kreuzrippengewölbe aus mittelalterlichen Tagen, in dem heute ein kleines Dorfmuseum eingerichtet ist. Es zeigt die Entwicklung des Guts Gnemern, das 1223 - als slawische Wasserburg - erstmals urkundlich erwähnt ist. Damals gab Fürst Borwin von Mecklenburg das Anwesen als erbliches Lehen seinem Vasallen Heinrich de Gnemere. 1662 verkaufte es der Junker Jürgen von Raben an die Freiherren von Meerheimb, deren Stammsitz es bis Kriegsende blieb.

Die Chronik des Guts schrieb übrigens der junge Dorfbürgermeister Jens-Roland Burmeister, der als gelernter Dachdecker auch das Herrenhaus vor dem Verfall bewahrte.